Кейт ДиКамилло

ПРИКЛЮЧЕНИЯ МЫШОНКА ДЕСПЕРО,

а точнее – Сказка о мышонке,
принцессе, тарелке супа
и катушке с нитками

~

*Перевод с английского
Ольги Варшавер*

*Иллюстрации
Игоря Олейникова*

Москва
«Махаон»
2010

УДК 821.111(73)-3-93
ББК 84 (7Cое)
Д44

Kate DiCamillo

THE TALE OF DESPEREAUX

This Russian edition was published by arrangement with Pippin Properties. Inc.

ДиКамилло К.

Д 44   Приключения мышонка Десперо, а точнее – Сказка о мышонке, принцессе, тарелке супа и катушке с нитками / Пер. с англ. О. Варшавер; Ил. И. Олейникова. – М.: Махаон, 2010. – 208 с.: ил.

ISBN 978-5-389-00164-0 (рус.)
ISBN 0-7636-1722-9 (амер.)

В мышином семействе, обитающем в старинном королевском замке, родился мышонок по имени Десперо. В отличие от своих сородичей он обладал храбрым и благородным сердцем, а ещё любил читать и слушать музыку. Однажды он увидел принцессу Горошинку и влюбился в неё. А когда коварные крысы хитростью заманили принцессу в мрачное подземелье, Десперо, словно рыцарь в сияющих доспехах, спас её от верной гибели.

УДК 821.111(73)-3-93
ББК 84(7Cое)

ISBN 978-5-389-00164-0 (рус.)
ISBN 0-7636-1722-9 (амер.)

Посвящается Люку,
который попросил меня придумать
сказку с неожиданным героем

Мир погружён во тьму, и свет в нём – на вес золота.
Садись-ка поближе, читатель, и доверься мне.
Я расскажу тебе сказку.

Книга первая

РОЖДЕНИЕ
МЫШОНКА

Глава первая

ПОСЛЕДЫШ

Эта сказка началась так: за толстыми, крепкими стенами замка родился мышонок. Совсем маленький. У родителей он был последышем, самым младшим ребёнком, причём единственным, кто выжил из последнего помёта.

– Где мои дети? – слабым голосом проговорила измученная родами мама-мышь. – Покажите детей!

Папа-мышь поднял тщедушного мышонка повыше.

– Только один, – ответил он. – Остальные мёртвые.

– Mon Dieu! Мой бог! Только один?

– Да, вот этот. Как ты хочешь его назвать?

– Столько сил потрачено – и всё впустую! – Мать вздохнула. – Такое разочарование! Я в отчаянии!

Мама-мышь была родом из Франции и прибыла в этот замок когда-то давно в багаже французского дипломата. *Разочарование* и *отчаяние* были её излюбленными словечками. Она произносила их по самым разным поводам.

– Так ты дашь ему имя? – повторил отец.

– Имя? Ему? Разумеется, дам! А толку? Он всё равно умрёт, как все остальные. Боже, какое разочарование! Какая трагедия!

Мама-мышь поднесла носовой платок к кончику носа, а потом принялась обмахиваться платком, точно веером.

— Так ты настаиваешь, чтобы я дала ему имя? — Она фыркнула. — Что ж, изволь. Я назову его Десперо́, потому что в моём родном языке есть похожее слово. Это дитя — именно Десперо, ибо он принёс с собой безмерное разочарование и отчаянье. Где же наконец моё зеркальце?

Муж протянул ей осколок зеркала. Антуанетта — а именно так звали маму-мышь — глянула на своё отражение и ахнула.

— Тулиз, немедленно принеси мою сумочку с косметикой, — велела она одному из сыновей. — У меня чёрные круги под глазами.

Пока Антуанетта подкрашивала глаза, папа-мышь уложил новорождённого в колыбель, на клочья одеял. Апрельское солнце, ещё слабенькое, но напористое, пробилось сквозь окна замка и дальше — через щель в стене и наконец дотронулось своим золотым пальцем до младенца.

Мышата сгрудились вокруг, чтобы рассмотреть новообретённого братца.

— У него слишком большие уши, — заявила сестрица Мерло́. — Я таких ушей в жизни не видела.

— Смотри-ка, папа! — окликнул отца мышонок по имени Ферло́. — У него глаза открыты. Ведь это неправильно, да, пап?

Да, это было неправильно. Десперо не следовало открывать глаз. Но он открыл. И увидел, как по потолку, отразившись от маминого зеркальца, побежал овальный солнечный зайчик. Мышонок смотрел на него и улыбался.

— С ним что-то не так, — подтвердил папа-мышь. — Отойдите-ка от него подальше.

Братья и сёстры Десперо поспешно сделали шаг назад.

– Всё, – донёсся с кровати голос Антуанетты. – Этот последний. Больше мышат у меня не будет. Дети – это такое разочарование. Они губят мою красоту. Да-да, губят безвозвратно. Так что больше никаких мышат. Этот – последний.

– Последний, – повторил папа-мышь. – И он скоро умрёт. Он не выживет. С открытыми глазами нельзя выжить!

Но представляешь, читатель, – он выжил.

И сказка наша как раз о нём.

Глава вторая

ТАКОЕ РАЗОЧАРОВАНИЕ!

Десперо Тиллинг выжил.

И само его существование вызвало в мышином сообществе немало пересудов.

— Мельче мышонка я в жизни не видела, — заявила тётушка Флоренс. — Мелок до нелепости. Таких мышат просто не бывает. Уж на что все Тиллинги мелкие, но не до такой же степени! — Тут она снова взглянула на Десперо с прищуром, точно подозревала, что от этого взгляда он попросту исчезнет. — Таких мышат не бывает, — повторила она свой приговор. — Никогда.

Десперо смотрел на тётку, обвив хвостиком задние лапки.

— А уши! Уши-то какие огромные! — воскликнул дядя Альфред. — Не мышиные, а прямо ослиные!

— Неприлично большие уши, — подтвердила тётя Флоренс.

И тут Десперо этими ушами пошевелил.

Тётка аж ахнула.

— Говорят, он родился с открытыми глазами, — шепнул ей на ухо дядя Альфред.

Десперо посмотрел на дядю в упор.

– Так не положено, – отрезала тётя Флоренс. – Ни один мышонок, хоть крошечный, хоть большеухий, не смеет рождаться с открытыми глазами. Так не положено.

– Его папаша Лестер говорит, что он нездоров, – заметил дядя Альфред.

Десперо чихнул.

Он ничего не сказал в своё оправдание. Да и что он мог сказать? Дядя с тётей не ошиблись. Он действительно до смешного мал. У него действительно несоразмерно большие уши. И он действительно родился с открытыми глазами. К тому же он и впрямь получился каким-то хилым: то чихает, то кашляет, поэтому в одной лапке у него всегда зажат носовой платок. И температура у него поднимается довольно часто. От громких звуков он вообще теряет сознание, а ещё – и это больше всего тревожит его родственников – он не проявляет ни малейшего интереса к тому, чем положено интересоваться всем мышам.

Например, он совершенно не думает о пище и не стремится подобрать всякую крошку. Когда его старшие братья и сёстры едят, Десперо просто замирает, склонив головку набок.

– Слышите этот сладкий, этот чудесный звук? – как-то спросил он у родственников.

– Когда у людей изо рта падают крошки и ударяются об пол, я всегда слышу. По мне, так слаще звука на свете нет, – ответил его брат Тулиз. – Я его всегда различу.

– Нет, это что-то другое, – возразил Десперо. – Сладкий звук... тягучий... похоже на... на мёд.

– Может, уши у тебя и большие, – фыркнул Тулиз, – но к голове они явно как-то не так приставлены. Разве можно услышать мёд? Его можно только почуять. Когда он есть. Но сейчас его нет.

– Отставить мёд! – рявкнул на Десперо папаша Лестер. – Хватит витать в облаках. Бери ноги в руки да ищи крошки.

– Умоляю тебя, сынок! – воскликнула мама Антуанетта. – Ищи крошки. Ешь их, чтобы порадовать мамочку. Ты такой костлявый! Ты такое разочарование для своей мамочки!

– Прости, – понурившись, прошептал Десперо. И опустил голову к самому полу.

Ты думаешь, он вынюхивал крошки, читатель?

Нет, он просто слушал. Его огромные уши улавливали какой-то удивительно сладкий звук, который другим мышам было, кажется, не дано услышать.

Глава третья

ОДНАЖДЫ
ЖИЛ ДА БЫЛ...

Б ратья и сёстры Десперо прилежно старались обучить его мышиным повадкам. Однажды братец Ферло решил показать ему замок, а заодно преподнести урок бега и юрканья.

— По прямой бегать нельзя, надо петлять, — наставлял он младшего брата и тут же показывал на скользком, натёртом воском полу, как это делается. — Непременно оглядывайся то через правое плечо, то через левое. Ни на что не отвлекайся и ни в коем случае не останавливайся.

Но Десперо не слушал братца Ферло. Он смотрел на свет, на разноцветный свет, лившийся через окна-витражи. Он встал на задние лапки да так и замер, зажав у сердца носовой платочек, — глаз не мог отвести от струившегося сверху сияния.

— Ферло, — наконец вымолвил он. — Что это? Откуда такие краски? Мы что, в раю?

— Ну ты и фрукт! — отозвался Ферло из дальнего угла. — Стоит себе посреди зала и про рай разглагольствует! Давай лапами двигай! Ты — мышь, а не человек! Значит, должен бегать и юркать.

— Что-что? — рассеянно переспросил Десперо.

Но Ферло нигде не было.

Как и пристало правильному мышонку, он юркнул в норку под лепным плинтусом.

Как-то раз сестрица Мерло отвела Десперо в библиотеку замка. Свет там лился потоками через высокие стрельчатые окна и ложился на пол яркими жёлтыми пятнами.

– Беги за мной, братишка, – велела Мерло. – Я научу тебя, где и как лучше всего грызть бумагу.

Мерло проворно вскарабкалась по ножке и спинке стула, а оттуда перепрыгнула на стол, где лежала огромная открытая книга.

– Теперь сюда, братишка, – скомандовала Мерло, взбираясь прямо на страницы книги.

Десперо последовал за ней: с пола – на стул, со стула – на стол, со стола – на книгу.

– Помни, самое вкусное – это клей. Он вот здесь, на корешке. Края тоже вполне съедобны, они тонкие и крошатся на зубах.

Сестра выгрызла кусок с края страницы и оглянулась на Десперо.

– Теперь ты попробуй, – пригласила она. – Сперва откуси кусочек клея, а потом заешь его бумагой, с самого краешка. А вот эти каракули – вообще объедение.

Десперо посмотрел на книгу, и тут случилось нечто чудесное. Чёрные значки, или каракули, как называла их Мерло, вдруг обрели форму и смысл. Они превратились в слова, а слова сложились в удивительную мелодичную фразу: *Однажды жил да был...*

– Однажды жил да был... – прошептал Десперо.

– Что? – обернулась Мерло.

– Ничего.

– Ешь давай! – велела Мерло.

– Я не смогу. – Десперо даже попятился.

– Почему?

– Ну... потому что можно испортить сказку.

– Сказку? Какую сказку? – Мерло возмущённо уставилась на брата. На её длинном усике негодующе подрагивала бумажная крошка. – Всё-таки папа был прав. Он сразу, ещё когда ты родился, сказал, что с тобой не всё в порядке.

Сестрица Мерло бросилась вон из библиотеки – поскорее рассказать родителям о последнем разочаровании, связанном с Десперо.

Когда сестра скрылась наконец из виду, уже ничто не мешало Десперо протянуть лапку и потрогать чудесные слова: *Однажды жил да был...*

Он вздрогнул. Чихнул. Высморкался в платочек, который всегда был у него наготове.

– Однажды жил да был... – произнёс он вслух, наслаждаясь каждым звуком.

А потом Десперо, поводя лапкой от слова к слову, прочитал всю сказку с начала до конца – сказку о прекрасной принцессе и рыцаре, который служил ей верой и правдой и был преисполнен отваги.

Десперо читал, но даже не подозревал, что отвага скоро понадобится ему самому.

Кстати, читатель, я уже говорила, что под замком было подземелье? Настоящая подземная тюрьма, где водились крысы!

Огромные крысы. Гадкие. И Десперо предстояло вступить с ними в неравную схватку.

Читатель, запомни: непростая судьба (будь то встреча с крысами или что-то совсем другое) уготована всякому мышонку и человеку, который смеет быть не таким, как все.

Глава четвёртая

Появляется Горошинка

Вскоре братья и сёстры оставили любые попытки научить Десперо мышиным повадкам – зряшное это было занятие. Так что Десперо оказался предоставлен сам себе и совершенно свободен.

Дни он проводил, как ему заблагорассудится: бродил по замку и мечтательно смотрел на свет, струившийся сквозь разноцветные стёкла. Ещё он ходил в библиотеку и перечитывал сказку о прекрасной девушке и рыцаре, который вызволил её из беды. Главное же, он в конце концов понял, откуда берётся этот сладкий, как мёд, звук.

Это была музыка.

Сам король Филипп играл на гитаре и пел по вечерам, перед сном, для своей дочери, принцессы Горошинки.

Мышонок прятался за стенкой принцессиной спальни и слушал во все уши. Или нет, он слушал сердцем. От гитарного перебора, от голоса короля сердце теснило, душу распирало, а внутри становилось как-то по-особенному легко.

– Чудо, – повторял мышонок. – Чудо! Точно в раю. Точно мёдом по сердцу.

Стремясь расслышать каждую ноту, Десперо однажды высунул из норки левое ухо, а потом и правое – вдруг он что-нибудь упустит? Вскоре он, сам того не заметив, высунул и лапки – сперва одну, а потом и другую. А после... мышонок даже сам не понял, как это произошло, но, боясь пропустить даже ползвука, он весь, целиком, вылез из норки. Десперо хотел быть поближе к музыке.

Вообще-то он знал, что делать это не положено. Хотя он не очень-то обременял себя мышиными правилами, но один самый главный закон обычно соблюдал неукоснительно: никогда ни при каких обстоятельствах не попадайся на глаза людям.

Но... музыка. Во всём виновата музыка. Из-за музыки он совсем потерял голову и утратил даже те немногие мышиные инстинкты, которыми наделила его природа. И вот теперь он стоял посреди спальни, на виду у людей, и востроглазая принцесса Горошинка его конечно же очень скоро заметила.

– Папа! – воскликнула она. – Смотри, мышка!

Король умолк. И прищурился. Он был близорук, то есть с трудом различал то, что не находилось прямо у него под носом.

– Где мышка? – спросил он.

– Вон же, – ответила принцесса и показала пальцем на Десперо.

– Милая моя Горошинка, это никакая не мышка, – сказал король. – Это просто жучок. Таких маленьких мышек не бывает.

– Нет, папочка, это мышка.

– Жучок, – твёрдо сказал король.

Он любил, чтобы за ним всегда оставалось последнее слово.

– Мышонок! – не отступалась Горошинка, которая прекрасно знала, что права.

Десперо же начал понимать, что совершил непростительную ошибку. И задрожал. От ушей до пят. И чихнул. И уже собрался было бухнуться в обморок.

– Он нас боится, – сообразила Горошинка. – Посмотри, папа, он весь дрожит. Знаешь, по-моему, мышонок хотел послушать музыку. Сыграй ещё что-нибудь.

– Ты хочешь, чтобы король играл для жучка? – Король озадаченно наморщил лоб. – Думаешь, так и подобает? Тебе не кажется, что мир перевернётся с ног на голову и покатится в тартарары, если короли будут петь для жуков?

– Папа, я тебе объяснила: это не жук, а мышонок. Ну спой! Пожалуйста!

– Ладно, изволь. Если это доставит тебе удовольствие – я, король, готов петь для жучка.

– Для мышонка, – упорствовала Горошинка.

Её отец поправил на голове тяжёлую золотую корону. Откашлялся. Ударил по струнам и затянул песню про звездопад. И песня эта оказалась такой же сладкой и тягучей, как лившийся сквозь витражи свет. Она завораживала, как сказка из книжки в библиотеке.

Десперо позабыл все свои страхи. Он хотел одного – слушать музыку.

Мышонок подполз ближе, ещё ближе, и скоро, читатель, он уже сидел у самых ног короля.

Глава пятая

ЧТО УВИДЕЛ ФЕРЛО

Принцесса Горошинка посмотрела на Десперо. И улыбнулась ему. И пока король пел ещё одну песню – про густые сиреневые сумерки, которые окутывают сонные садовые изгороди, – принцесса протянула руку и погладила Десперо по макушке.

Потрясённый Десперо поднял глаза. И решил, что Горошинка – в точности как прекрасная девушка из книжки в библиотеке. Принцесса снова улыбнулась Десперо, и на этот раз мышонок осмелился улыбнуться ей в ответ. И тут случилось нечто невообразимое. Он влюбился.

Читатель, ты, конечно, можешь... нет, ты просто обязан спросить: разве не нелепо, что крошечный, болезненный большеухий мышонок влюбился в человека? В прекрасную принцессу по имени Горошинка?

Ответ ясен. Разумеется, это нелепо.

Любовь вообще большая нелепость.

Но любовь – это ещё и чудо. И она обладает огромной властью. И любовь Десперо к принцессе Горошинке со временем окажется именно такой – могущественной, чудесной. И останется нелепой.

– Ты такой милый! – шепнула мышонку принцесса. – Такой маленький.

Десперо смотрел на неё с обожанием.

В это время его братцу Ферло как раз случилось пробегать мимо принцессиной спальни. Он бежал по всем правилам: петляя и оглядываясь то через правое плечо, то через левое.

– Ну и ну! – выдохнул Ферло, заметив брата, и остановился. Заглянул в комнату. Усики его напряглись, точно натянутая тетива.

Ферло увидел, как его брат, Десперо Тиллинг, сидит возле самых ног короля. Ферло увидел, как его брата, Десперо Тиллинга, гладит по голове принцесса.

– Ну и фрукт! – присвистнул Ферло. – Совсем сбрендил! Тут ему и крышка!

И Ферло заспешил дальше по всем правилам – где бежал, где юркал, – чтобы поскорее сообщить папе Лестеру Тиллингу эту ужасную, эту совершенно невероятную новость.

Глава шестая

ОПЯТЬ ТВОЙ БАРАБАН!

— Нет, это не мой сын! Он просто не может быть моим сыном! — Зажав усики передними лапками, папа Лестер причитал и в отчаянии мотал головой.

— Ну, разумеется, это твой сын, — отозвалась Антуанетта. — Чей же ещё? Вечно ты говоришь всякие глупости. Откуда такие мысли?

— Всё ты! — ворчал Лестер. — Ты во всём виновата. Кровь твоя французская в башку ему ударила, и парень с ума спятил.

— C'est moi? — возмутилась Антуанетта. — Я виновата? Почему всегда я? Если твой сын — сплошное разочарование, то ты виноват в этом ничуть не меньше, чем я.

— Надо что-то делать, — твёрдо сказал Лестер и потянул себя за усик так сильно, что вырвал его вовсе. Тогда он принялся размахивать им над головой, а потом наставил на жену. — Иначе мы все из-за него погибнем. Надо же! Додумался! Уселся у ног человечьего короля! Невероятно! Уму непостижимо!

— Не драматизируй! — сказала Антуанетта и, вытянув вперёд лапку, стала рассматривать свои накрашенные коготки. — Он же просто маленький мышонок. Какой от него вред?

– Кое-что я в этой жизни усвоил прочно, – ответил Лестер. – Мыши должны вести себя по-мышиному, иначе бед не оберёшься. Я созову внеочередной Мышиный совет. И мы все вместе решим что делать.

– Господи! – вздохнула Антуанетта. – Вечно ты носишься с этим Мышиным советом. Пустая трата времени.

– Как ты не понимаешь? – вскипел Лестер. – Его надо наказать. Его надо отдать под трибунал!

Папа-мышь бросился к вороху бумажек и, яростно раскидав их, извлёк чуть не с самого дна этой кучи напёрсток. Отверстие для пальца у напёрстка было закрыто туго натянутым кусочком кожи.

– Умоляю, только не стучи! – Антуанетта закрыла лапками уши. – Опять твой барабан! Неужели нельзя созвать Совет каким-то другим способом?

– Нет! – отрезал Лестер. – Только барабанным боем.

Подняв инструмент высоко над головой, он обратил его сперва на север, потом на юг, а после – на запад и восток. Затем, повернувшись спиной к жене, он пристроил барабан между лапок, закрыл глаза, вдохнул поглубже и начал выбивать медленную дробь: один длинный удар – хвостом, два коротких – лапками.

Бум! Там-там! Бум! Там-там! Бум! Там-там!

Эта дробь была сигналом для членов Мышиного совета.

Бум! Там-там! Бум! Там-там! Бум!

Услышав такую дробь, они сразу понимали, что им предстоит принять важное решение – решение, от которого зависит безопасность и благоденствие всего мышиного племени.

Бум! Там-там! Бум! Там-там!
Бум!

Глава седьмая

ВЛЮБЛЁННЫЙ МЫШОНОК

А что же делал наш герой? Где был самый интересный для нас член мышиного племени, когда по замку эхом прокатилась барабанная дробь?

Признаюсь честно, читатель: самого предосудительного Ферло увидеть не успел. На самом деле Десперо ещё долго сидел с королём и принцессой и слушал песню за песней. И в какой-то момент Горошинка бережно-пребережно взяла его в руки. Она посадила мышонка на ладонь и стала почёсывать его за несоразмерно большими ушами.

– У тебя такие милые ушки, – шепнула она. – Прямо бархатные!

Десперо понял, что вот-вот потеряет сознание. От счастья. Его огромные уши для неё – просто ушки, да ещё бархатные. Чтобы не упасть в обморок, он опёрся хвостиком о руку Горошинки, о самое запястье, и почувствовал, как пульсирует под её кожей тонкая венка. И его сердце тут же начало биться в унисон с сердцем принцессы.

– Папочка! – воскликнула Горошинка, когда отец закончил петь. – Я оставлю себе этого мышонка. Мы станем с ним большими друзьями.

Король сощурился. Пригляделся.

– Мышь, – пробормотал он. – Грызун.

– Ты о чём? – недоумённо спросила принцесса.

– Брось немедленно, – потребовал король.

– Вот ещё! – возмутилась Горошинка. – С какой стати?

– Потому что я тебе велю.

– Но почему? – заупрямилась Горошинка.

– Потому что это мышь.

– Я знаю. Я тебе с самого начала говорила, что это мышь.

– Но я сразу не подумал.

– О чём?

– О твоей маме. О королеве.

– О маме, – печально повторила Горошинка.

– Мыши – грызуны, – сказал король. И поправил корону. – Они родственники крыс. А как мы относимся к крысам, ты отлично знаешь. Ты знаешь, что самые мрачные страницы нашей истории связаны с крысами.

Принцесса содрогнулась.

– Но, папа, – заспорила она, – это мышонок, а не крыса. Мышонок – совсем другое дело.

– У особ королевской крови много обязанностей, – провозгласил король. – И одна из них состоит в том, чтобы не вступать в личные отношения даже с дальними родственниками твоих врагов. Горошинка, немедленно положи его на пол.

Принцесса опустила Десперо на пол.

– Вот и умница, – сказал король. И перевёл взгляд на Десперо. – Беги же! – велел он.

Но Десперо не побежал. Он сидел, не сводя глаз с принцессы.

Король сердито топнул:

– Беги прочь!

– Папочка, пожалуйста, не пугай его! Он ни в чём не виноват. – И принцесса заплакала.

Её слёзы заставили Десперо нарушить последний ещё не нарушенный им закон предков. Он заговорил с человеком.

– Прошу тебя, не плачь, – сказал он и протянул Горошинке свой носовой платок.

Горошинка всхлипнула и наклонилась к нему низко-низко.

– Не смей к ней обращаться! – взревел король.

Десперо уронил платочек и попятился.

– Грызуны не смеют заговаривать с принцессами! Я не позволю, чтобы этот мир перевернулся с ног на голову и покатился в тартарары. На всё есть свои законы. Беги отсюда! Беги со всех ног, чтоб я тебя больше никогда не видел. Убирайся, пока ко мне не вернулся здравый смысл и я не приказал тебя убить!

Король снова топнул.

Мышонок встревожился: нога была такая громадная, топала с такой силой и так близко от его головы! И Десперо наконец побежал к спасительной дырке под плинтусом.

Но прежде чем туда юркнуть, он остановился и крикнул принцессе:

– Меня зовут Десперо!

– Десперо?

– Да, Десперо. И я вас боготворю, клянусь честью!

Именно так говорил рыцарь прекрасной девушке в той книжке, которую Десперо каждый день перечитывал в библиотеке: *Я вас боготворю, клянусь честью!* Мышонок бормотал эту фразу про себя тысячу раз, но у него ещё не было случая сказать её вслух.

– Убирайся немедленно! – заорал король и топнул ногой ещё сильнее, а потом ещё сильнее, так что сотрясся весь замок, а то и весь мир. – Грызуны не имеют никакого понятия о чести!

Десперо юркнул в норку и стал смотреть на принцессу оттуда. А она подобрала его платочек и посмотрела в норку – прямо в глаза мышонку.

– Десперо, – прошептала она.

Он угадал по губам, что она шепчет его имя.

– Я вас боготворю, – прошептал он. – Клянусь честью.

Он приложил лапку к груди и поклонился, коснувшись усиками пола.

Увы, наш мышонок влюбился не на шутку.

Глава восьмая

К крысам

Услышав барабан Лестера, остальные члены Мышиного совета – двенадцать Почтенных мышей и один Самый Главный Достопочтенный Мышан – собрались в тайной норке, располагав-
шейся прямо под тронным залом короля Филиппа. Они расселись
вокруг доски, опиравшейся на катушки с нитками, и с ужасом
внимали Лестеру, который принялся пересказывать им всё, что
услышал от Ферло.

– У ног короля, – говорил Лестер.

– Её палец у него на макушке, – говорил Лестер.

– Смотрел на них без всякого страха, – говорил Лестер.

Члены Мышиного совета разинули рты, печально опустили
усики и прижали уши к спинам. Почтенных мышей обуревали
гнев и страх.

Когда Лестер закончил свой рассказ, повисла растерянная
мрачная тишина.

– С твоим сыном что-то не так, – выразительно произнёс
Самый Главный Достопочтенный Мышан. – Он нездоров. И дело
не в том, что у него бывает жар, что у него непомерно длинные
уши и что он совсем не растёт. Дело в том, что он не от мира сего.

И его поведение подвергает опасности нас всех. Людям нельзя доверять. Это – истина, которая обсуждению не подлежит. И если мышонок якшается с людьми, если мышонок садится у самых ног человека, если мышонок позволяет человеку до себя дотронуться... – На этих словах все члены Мышиного совета содрогнулись от отвращения. – ...такому мышонку тоже нельзя доверять. Таков закон жизни. Нашей жизни. Собратья, я всем сердцем надеюсь, что Десперо не заговорил с этими людьми. Но в данной ситуации нельзя полагаться на одну лишь надежду. Нужна твёрдая уверенность.

Лестер согласно кивнул. И остальные члены Мышиного совета тоже одобрительно закивали.

– У нас нет выбора, – продолжал Главный Мышан. – Придётся отправить его в подземелье. – Он стукнул кулаком об стол. – К крысам! Без промедления. Итак, члены Мышиного совета, прошу голосовать. Кто за то, чтобы отправить Десперо в подземелье, пусть скажет «да».

Грянул многоголосый хор.

– Кто против, пусть скажет «нет».

Тишину ничто не нарушило.

Почти ничего. Потому что Лестер тихонько всхлипнул. Двенадцать Почтенных мышей и один Достопочтенный Мышан тактично отвели глаза.

Читатель, как думаешь, твой папа проголосовал бы за то, чтобы тебя заточили в темницу к крысам? Твой папа тоже не сказал бы ни слова в твою защиту? А папа мышонка Десперо только плакал. Тогда Самый Главный Достопочтенный Мышан снова стукнул кулаком по столу и произнёс:

– Пусть Десперо Тиллинг предстанет перед всем мышиным сообществом. Ему предъявят список его прегрешений и дадут возможность их оспорить. Если же он признает, что виноват, пусть публично покается, чтобы очиститься от грехов и отправиться в подземелье с чистым сердцем. Призвать сюда Десперо Тиллинга!

Что ж, Лестер хотя бы омыл своё предательство слезами. Знаешь ли ты, читатель, что такое *предательство?* Думаю, уже знаешь, поскольку понял, что произошло только что под тронным залом. Но всё равно – посмотри-ка ты значение слова *предательство* в толковом словаре. Не повредит.

Глава девятая

ВОПРОС В ТОЧКУ

По велению Мышиного совета Ферло отправился за братом. Он нашёл Десперо в библиотеке. Стоя на большой раскрытой книге, крепко обвив хвостиком ножки, он дрожал всем своим маленьким тельцем.

Десперо читал себе вслух знакомую сказку. Он решил перечитать её с самого начала до самого конца, чтобы убедиться, что рыцарь и прекрасная девушка никогда не расстанутся, что они станут жить-поживать и добра наживать.

Десперо ужасно хотелось прочитать эти утешительные слова: *станут жить-поживать*. Он отчаянно хотел произнести их вслух, удостовериться, что это чувство, эта любовь, которую он испытывает к принцессе Горошинке, обязательно будет со счастливым концом. Он читал сказку точно заклинание, точно стоит произнести слово – и оно непременно сбудется.

– Вот-вот, – пробормотал Ферло себе под нос. Он то смотрел на брата во все глаза, то негодующе отводил их в сторону. – Именно это я и имел в виду, именно это. Ну и фрукт! Что он тут, спрашивается, делает? Бумагу вроде не жуёт... Нет, он с ней разговаривает! С бумагой-то! Это неправильно! Так не положено!

– Эй! – окликнул он Десперо.

Тот продолжал читать.

– Эй, ты! – крикнул Ферло. – Десперо! Тебя ждут на Мышином совете.

– Что? Прости, не расслышал. – Десперо оторвался от книги.

– Тебя вызвали на Мышиный совет.

– Меня?

– Тебя, тебя.

– Но я сейчас занят, – сказал Десперо и снова склонился над книгой.

Ферло вздохнул.

– Ну и фрукт! Обалдеть! Ничем его не проймёшь! Ничем. Я был прав, что сдал его отцу. Этот парень больной на всю голову.

Ферло проворно вскарабкался по ножке стула и, перепрыгнув на книгу, уселся рядом с Десперо. Постучал лапкой ему по голове. Разок. Другой.

– Послушай! Члены Мышиного совета не из тех, кто ждёт-дожидается. Они требуют, чтобы ты явился. Это приказ. Ты обязан идти со мной немедленно.

Десперо повернулся к брату.

– Ты знаешь, что такое любовь? – спросил он.

– Что?

– Любовь?

Ферло покачал головой.

– Нашёл о чём спросить! На твоём месте я бы спросил, почему меня вызвали на Мышиный совет. Вот это было бы в точку.

– На свете есть кто-то, кто меня любит, – не унимался Десперо. – И я тоже её люблю. И важнее этого просто ничего не бывает.

– Тебя кто-то любит? Ты кого-то любишь? Да какая теперь разница? Мышиному совету на это плевать. У тебя очень серьёзные неприятности, братец.

– Её зовут Горошинка.

– Ты о чём?

– Ту, что меня любит, зовут Горошинка.

– Ну ты и фрукт! Ты чего, вообще не врубаешься? Не понимаешь, что родился мышью? Не сечёшь, что тебя вызвали на Мышиный совет? Давай двигай ногами. Таков закон. Таков приказ.

Десперо вздохнул. Потом он протянул лапку к словам *прекрасная девушка* и нежно погладил каждую букву. А потом поднёс эту лапку к губам.

– Ты что, вовсе сбрендил? – возмутился Ферло. – Топай за мной!

– Я вас боготворю, – прошептал Десперо. – Клянусь честью.

А после этого, читатель, он последовал за Ферло. С книги на стол, со стола на стул, вниз по ножке, потом по полу библиотеки и – в конце концов – туда, где ждали его члены Мышиного совета.

Десперо шёл за братом навстречу своей судьбе.

Глава десятая

СЕРЬЁЗНЫЕ ПРИЧИНЫ

К этому времени – согласно решению Самого Главного Достопочтенного Мышана – всё мышиное сообщество действительно собралось за стеной бального зала. Члены Мышиного совета восседали на трёх положенных друг на дружку кирпичах, а перед ними толпились все жившие во дворце мыши – умные и глупые, от мала до велика.

И все они ждали Десперо.

– Дорогу, дорогу! – кричал Ферло, проталкиваясь сквозь толпу. – Вот он. Я его веду. Дайте дорогу!

Десперо держался за хвост брата.

– Вот он! Вот он! – пронеслось над толпой.

– Совсем маленький!

– Говорят, он родился с открытыми глазами.

При виде Десперо некоторые мыши с отвращением пятились, зато другие, любители острых ощущений, наоборот – протискивались поближе, стремясь коснуться преступника усиком или лапкой.

– Его потрогала пальцем сама принцесса!

– Говорят, он сидел прямо у ног короля!

– Таких мышат просто не бывает! – перекрывал общий гул голос тётушки Флоренс.

– Дорогу! Дорогу! – покрикивал Ферло. – Я его доставил. Я привёл Десперо Тиллинга, которому велено предстать перед Мышиным советом. – Он вывел Десперо на середину. – Глубокоуважаемые члены Мышиного совета! – начал он. – Как вы и просили, я доставил сюда Десперо Тиллинга, которого вы вызвали на своё заседание. – Покосившись через плечо на брата, он процедил: – Отцепись от моего хвоста.

Десперо отпустил хвост. И посмотрел на тринадцать Почтенных мышей и Достопочтенного Мышана. Встретился взглядом с отцом, но тот покачал головой и отвёл глаза. Тогда Десперо повернулся лицом к толпе – к целому морю мышей.

– В подземелье его! – крикнул кто-то. – Отправьте его в подземелье.

Затуманенное сознание Десперо, в котором роились мелодичные фразы – *жить-поживать, бархатные ушки, я вас боготворю,* – внезапно прочистилось.

– В подземелье! Туда ему и дорога! – крикнул другой голос.

– Прошу соблюдать порядок, – строго сказал Самый Главный Достопочтенный Мышан. – Суд будет проведён по всем правилам. Мы же цивилизованные существа. – Он откашлялся и обратился к Десперо: – Сын мой, повернись-ка и посмотри на меня.

Десперо повернулся. И посмотрел в глаза Главного Мышана. Глаза оказались тёмными, глубокими, в них таились печаль и страх. Сердце Десперо ёкнуло.

– Десперо Тиллинг! – громко произнёс Главный Мышан.

– Да, сэр? – отозвался Десперо.

– Мы, четырнадцать членов Мышиного совета, обсудили твоё поведение. И решили, что, во-первых, предоставим тебе возможность оспорить вопиющие обвинения, выдвинутые против тебя. Отвечай: сидел ты возле ног человеческого короля или нет?

– Сидел, – ответил Десперо, – но я просто слушал музыку, сэр. Я пришёл послушать песню, которую пел король.

– Что послушать?

– Песню, сэр. Он пел песню о густом сумраке, окутавшем сонные садовые изгороди.

Главный Мышан покачал головой.

– Это к существу дела не относится. Вопрос предельно прост: ты сидел у ног человеческого короля?

– Да, сэр.

Все мыши разом застучали хвостами, засучили лапками, зашевелили усиками. И снова смолкли в ожидании.

– А девочке, человеческой принцессе, ты позволил до себя дотронуться?

– Её зовут Горошинка.

– Не важно, как её зовут. Так ты позволил ей до себя дотронуться?

– Да, сэр, – ответил Десперо. – Позволил. Это было очень приятно.

По толпе пронёсся неодобрительный ропот.

Десперо различил голос матери:

– Mon Dieu, разве это преступление? Ну потрогала, и что из этого?

— Не положено! Не положено! — отозвался голос тёти Флоренс.

— В подземелье! — орали мыши, выбившиеся в первый ряд.

— Тихо! — рявкнул на них Самый Главный Достопочтенный Мышан. — Тишина!

Он снова взглянул на Десперо:

— Десперо Тиллинг, осознаёшь ли ты всю значимость тех священных, нерушимых законов, которыми должны руководствоваться все члены мышиного сообщества?

— Да, сэр, думаю, что осознаю, но я...

— Ты нарушил их?

— Да, сэр... Но у меня были серьёзные причины. Всё дело в музыке, сэр. И в любви.

— В любви? — Достопочтенный Мышан даже опешил.

— Вот заладил, — охнул Ферло. — Ему теперь точно крышка.

— Я люблю её, сэр, — сказал Десперо.

— Мы собрались здесь не для того, чтобы говорить о любви. И судят тебя не за любовь, а за то, что, родившись мышью, ты ведёшь себя неподобающим образом, — провозгласил Самый Главный Достопочтенный Мышан с верхнего кирпича.

— Да, сэр, — кивнул Десперо. — Я понимаю.

— Нет, похоже, ты ничего не понимаешь. Поскольку вину свою ты отрицать не можешь, тебя ждёт наказание. Согласно древним законам мышей этого замка, тебя отправят в подземелье. К крысам.

— Туда ему и дорога! — донеслось из толпы. — Доигрался.

В подземелье! К крысам! Сердечко Десперо ушло в пятки, а потом ещё дальше — в самый кончик хвоста. Ведь в подземелье темно! Там нет никакого света. Нет витражей. Нет библиотеки с книгами. Там нет принцессы Горошинки!

— Но у тебя есть шанс отправиться в подземелье с чистым сердцем, — продолжал Самый Главный Достопочтенный Мышан. — Покайся в своих грехах! И отрекись!

— Отрекись? Что это значит?

— Скажи, что был не прав. Скажи: я каюсь, что сидел у ног короля. Я каюсь, что позволил принцессе до себя дотронуться. Отрекись от своих деяний!

Десперо бросило в жар. Потом в холод. Потом снова в жар. Отречься? От принцессы?

— Mon Dieu! — воскликнула его матушка. — Отрекись, сынок! Не делай глупостей!

— Что скажешь, Десперо Тиллинг? — выжидающе спросил Самый Главный Мышан.

— Я скажу... скажу... нет, — прошептал Десперо.

— Что-о? — Главный Мышан не поверил своим ушам.

— Нет, — повторил Десперо. И на этот раз уже не шёпотом. — Я не стану каяться. Я не отрекусь от своих деяний. Я её люблю. Я люблю принцессу.

Разъярённые мыши запищали и угрожающе двинулись на Десперо. В едином порыве они слились в одно разгневанное существо с сотнями хвостов, тысячами лапок и десятками тысяч усиков. На всех имелась одна пасть — огромная и жадная. Она то открывалась, то закрывалась, снова и снова повторяя:

— В подземелье! В подземелье! В подземелье!

Каждое слово молотом било по Десперо, и его сердце испуганно ухало в ответ.

– Что ж, так тому и быть, – объявил Самый Главный Достопочтенный Мышан. – Ты умрёшь, не очистив своего сердца. Где Ниточных дел мастер? Пусть несёт сюда нить!

Десперо изумлялся собственной храбрости. Собственной решимости.

Но тут, читатель, он потерял сознание.

Глава одиннадцатая

Те же и Ниточных дел мастер

Очнувшись, Десперо услышал барабанную дробь. Его отец выбивал мелодию, в которой *бум-бум* было куда больше, чем *там-там*. Лестер и его барабан играли что-то зловещее.

Бум-бум-бум-там. Бум-бум-бум-там.

– Дорогу нити! – кричал Ниточных дел мастер, кативший через толпу деревянную катушку с красными нитками. – Дорогу нити!

Бум-бум-бум-там – продолжал выбивать барабан Лестера.

– В подземелье! – дружно орали мыши.

Десперо лежал на спине и моргал. Когда же, в какой момент всё пошло наперекосяк? Разве любовь – не самое прекрасное, что есть на земле? В сказке, которую он читал в библиотеке, любовь была настоящим чудом. Рыцарь смог спасти прекрасную девушку именно потому, что очень её любил. И они стали жить-поживать. И добра наживать. Так было написано в книге. В самом-самом конце. Последние слова на последней странице. Жить-поживать и добра наживать. Десперо был уверен, что именно так и заканчивалась книга. И никак иначе.

Он лежал на полу. И тут – под барабанную дробь, угрожающие возгласы мышей и покрикивания Ниточных дел мастера – его пронзила страшная, до озноба страшная мысль: а вдруг какие-то мыши пришли и съели страницу с настоящим концом? И на самом деле рыцарь с принцессой не стали жить-поживать?

Читатель, а ты веришь в счастливые концы? Ну... в то, что герои станут жить-поживать и добра наживать? Или, подобно Десперо, уже начал прикидывать, что шансов на счастливый конец практически нет?

– И добра наживать, – тихонько прошептал Десперо. – Стали они жить-поживать...

Катушка меж тем остановилась прямо около него.

– Нить! Нить! – пронеслось в толпе.

– Ты уж прости, приятель, – обратился к Десперо тот, кто прикатил катушку, – но тебе придётся встать. Я должен делать свою работу.

Десперо медленно поднялся – на все четыре лапки.

– Будь так добр, встань на задние, – велел Ниточных дел мастер. – Таков порядок.

Десперо встал на задние лапки.

– Спасибо, – сказал Мастер. – Всегда лучше иметь дело со сговорчивым клиентом. Очень ценю.

Он отмотал кусок красной нити и сделал из неё петлю. Десперо смотрел во все глаза.

– Ровнёхонько, чтоб на шею хватило, – бормотал Мастер. – Покойник, старый мастер, так меня и учил: главное, чтобы на шею хватило.

Он оценивающе глянул – сперва на Десперо, а потом на красную петлю у себя в лапках.

– Эге, приятель, а шейка-то у тебя тоненькая, – сказал он и накинул петлю на голову Десперо. Он наклонился совсем близко, и в нос Десперо пахнуло сельдереем. А потом он долго дышал мышонку в ухо, подгоняя размер петли. – Небось красивая? – шепнул он Десперо.

– Что-что? – не поняв, переспросил мышонок.

– Тсс, тихо ты. Принцесса твоя красивая?

– Принцесса Горошинка?

– Кто ж ещё?

– Краше не бывает, – ответил Десперо.

– Ну вот, теперь впору. – Мастер отступил, оглядывая плоды своих трудов, и удовлетворённо кивнул. – Прекрасная принцесса, точно как в сказке. И ты влюблён, как рыцарь из сказки, верно? Ты любишь её высокой, благородной, преданной любовью. Ведь так?

– Откуда вы знаете? – поразился Десперо. – Вы читали сказку?

– Тсс! – Мастер снова наклонился к нему поближе, и Десперо снова почуял острый запах свежего сельдерея. – Не теряй отвагу, приятель! – шепнул он мышонку. – Будь храбр во имя своей возлюбленной.

Потом он отступил и повернулся к мышиному сборищу:

– Собратья, петля затянута. Нить завязана в узел.

По толпе пронёсся гул одобрения.

Десперо расправил плечи. Он принял решение. Он сделает так, как посоветовал Ниточных дел мастер. Он будет храбр во имя своей возлюбленной.

Да, он будет храбр, даже если никто потом не будет жить-поживать. А ты, читатель, как думаешь? Неужели конец может быть несчастливым?

Глава двеннадцатая

ADIEU

Тут ритм барабанной дроби снова изменился. Исчезли все там-тамы и не осталось ничего, кроме бум-бумов.

Бум-бум-бум.

Бум-бум-бум.

Лестер бил только хвостом, со всей силы, торжественно и печально.

Ниточных дел мастер куда-то исчез.

Несметное полчище мышей притихло в ожидании.

Десперо стоял перед ними с красной петлёй на шее, а четырнадцать членов Мышиного совета восседали на кирпичах, возвышаясь над всеми. Тут вперёд вышли два дюжих мыша. На головах у них были чёрные колпаки с прорезями для глаз.

– Мы проводим тебя в подземелье, – сказал тот, что покрупнее.

– Десперо! – воскликнула Антуанетта. – Мой Десперо!

Десперо посмотрел в мышиную толпу и увидел маму. Её было легко различить. Её младшенького отправляли в темницу, и в честь такого события мама накрасилась ещё ярче обычного.

Мыши в чёрных колпаках положили лапы на плечи Десперо.

– Пора, – сказал тот, что стоял слева, а правый, что был покрупнее, согласно кивнул.

Антуанетта пробилась сквозь толпу.

– Это мой сын! – воскликнула она. – Я хочу сказать ему последнее слово.

Десперо посмотрел на маму. Он очень старался не дрожать. Уж очень ему не хотелось снова огорчить маму.

– Прошу вас! – восклицала Антуанетта. – Скажите, что с ним станется? Что будет с моим крошкой?

– Мадам, – медленно, глубоким басом произнёс первый чёрный колпак. – Вам лучше этого не знать.

– Но я хочу знать! Я хочу всё знать! Это мой ребёнок! Самый младший. Я берегла его как зеницу ока!

Мыши в колпаках грозно молчали.

– Скажите же мне! – взмолилась Антуанетта.

– Там крысы, – произнёс первый.

– Там крысы, – подтвердил второй.

– Да, да. Oui. Там крысы. И что из этого?

– Его съедят крысы, – пояснил второй колпак.

– О господи! – ахнула Антуанетта. – Mon Dieu!

Узнав, что его съедят крысы, Десперо позабыл, что надо быть храбрым. Он позабыл, что не хочет огорчать маму. Он почувствовал, что вот-вот снова бухнется в обморок. Но мама его опередила: с её несравненным трагико-драматическим чутьём она всегда умела выбрать лучший момент. Исполнив безупречный пируэт, она распростёрлась у ног Десперо.

– Ну и чего ты добился? – мрачно спросил первый колпак у второго.

– Не важно. Переступи через неё. У нас своя работа. И ничья мама нам не помеха. В подземелье!

– В подземелье, – отозвался первый, но его голос, такой глубокий и уверенный ещё несколько минут назад, немного дрожал.

Он снова положил лапу на плечо Десперо, подтолкнул его вперёд, и оба колпака вместе с Десперо перешагнули через Антуанетту.

Толпа расступилась.

И опять мыши заверещали на все лады:

– В подземелье! В подземелье! В подземелье!

А барабан всё продолжал бухать.

Бум-бум-бум. Бум-бум-бум.

И Десперо повели в подземелье.

В последний момент Антуанетта очнулась и всё-таки крикнула ему вслед последнее слово.

Читатель, она сказала *adieu*.

Ты знаешь, что такое *adieu*? Да ладно, не лезь в словарь. Я тебе сама скажу. Это значит *прощай*, только по-французски.

Не думаю, что ты хотел бы услышать от собственной мамы слово *adieu*, когда два громадных мыша в чёрных колпаках ведут тебя в подземелье к крысам, верно?

Думаю, ты хотел бы услышать совсем другие слова. Например: «Ведите меня вместо сына! Я пойду вместо него в темницу к крысам!»

Пусть даже это ничего не изменит, но такие слова успокаивают и ободряют. А вот в слове *прощай* ничего ободряющего и успокоительного нет. *Прощай* на любом языке звучит очень и очень печально. Это слово ничего не обещает. Абсолютно ничего.

Глава тринадцатая

БЕСПРЕДЕЛЬНОЕ ПРЕДАТЕЛЬСТВО

Десперо и два его конвоира спускались всё ниже, ниже, ниже.

Петля на шее Десперо была затянута туго. Она его душила. И он то и дело пытался оттянуть её лапкой.

– Не трогай нить! – гаркнул второй колпак.

– Да, верно, – подхватил первый. – Не смей трогать нить!

Шли быстро. Стоило Десперо замедлить шаг, как один из двух конвоиров тут же тыкал или пинал его в спину и требовал пошевеливаться. Путь лежал по ходам, проложенным в дворцовых стенах, а потом по золотой лестнице. Позади осталось множество комнат – где-то двери были закрыты, где-то распахнуты настежь. Полы под лапками были мраморные, портьеры над головами – бархатные, тяжёлые. Квадраты, согретые солнцем, перемежались с тёмным, затенённым пространством.

«Скоро этот мир останется позади», – думал Десперо.

Мир, который он знал и любил. Мир, в котором есть принцесса Горошинка. Она улыбается, смеётся, хлопает в ладоши в такт музыке и даже не ведает, какая участь уготована Десперо. Эта мысль – что он никак не может сообщить принцессе о том, что его ждёт, – внезапно пронзила его так остро, так невыносимо...

— А могу я напоследок поговорить с принцессой? — робко спросил он.

— Поговорить? — опешил второй колпак. — Ты желаешь поговорить с человеком?

— Я хочу рассказать ей обо всём, что со мной случилось.

— Ну и фрукт, — сказал первый колпак. Он остановился и негодующе затопал ногами. — Тебе всё неймётся.

Его голос вдруг показался Десперо очень знакомым.

— Ферло? — не веря себе, уточнил он.

— Что ещё? — раздражённо отозвался первый колпак.

Десперо ужаснулся. Его ведёт в подземелье не кто-то, а родной брат. Сердечко Десперо сжалось и замерло, превратившись в холодный безутешный камешек. Но потом оно вдруг преисполнилось надеждой, очнулось и забилось.

— Ферло, послушай. — Он взял брата за лапу. — Отпусти меня, ладно? Пожалуйста, прошу тебя. Я же твой брат.

Сквозь прорези колпака было видно, как Ферло возмущённо закатил глаза. Он выдрал лапу из лапок Десперо.

— Ещё чего выдумал!

— Я очень-очень тебя прошу!

— Нет, — отрезал Ферло. — Закон есть закон.

Читатель, помнишь, что такое *предательство*? Ты замечаешь, что нам приходится поминать его всё чаще и чаще?

Это слово — *предательство* — и крутилось в голове Десперо, когда они наконец добрались до узких крутых ступеней, что вели вниз, в чёрную дыру подземелья.

Мыши — двое в колпаках и один без — остановились, глядя в пропасть.

А потом Ферло встал на задние лапки, приложил правую переднюю к сердцу и провозгласил:

– Во имя благоденствия мышей этого замка в этом часу сего дня мы доставили сюда мышонка, который заслужил наказание. Согласно установленным нами законам на его шее – красная нить смертника.

– Красная нить смертника, – тихонько повторил Десперо.

Слова *красная нить смертника* звучали ужасно, но ему не позволили размышлять над их значением слишком долго. Мыши в колпаках резко и сильно толкнули его в спину.

Десперо покатился вниз, в подземелье. Кубарем, кувырком летел он во тьму, хвостик путался в усиках, а в голове звучали два слова. Одно слово было *предательство*. А другое, за которое он цеплялся из последних сил, было *Горошинка. Принцесса Горошинка.*

Предательство. Горошинка. Предательство. Горошинка.

Эти два слова и крутились у него в сознании, пока сам он летел под землю, во тьму.

Глава четырнадцатая

Тьма

Десперо лежал на спине у подножия лестницы и ощупывал все свои косточки – одну за другой. Они были на месте. И что самое поразительное, все были целы. Мышонок поднялся на ноги и вдруг ощутил запах. Нет, не запах – ужасную, нестерпимую, оскорбительную для носа вонь.

Да, читатель, в подземелье воняло. Отчаянием, страданием и безнадёжностью. Иными словами – тут пахло крысами.

И, господи, как же здесь было темно! Никогда прежде не доводилось Десперо встречаться с такой непроглядной, такой бездонной тьмой. Она присутствовала в подземелье явственно, точно живое существо. Мышонок поднял лапку и поднёс её к лицу, к самым усикам. Но лапку свою не увидел. Он ужасно разволновался: вдруг его уже нет на свете?

– Ой! – сказал он громко.

Звук его голоса эхом раскатился в затхлой вонючей тьме.

– Предательство, – произнёс Десперо, просто чтобы снова услышать свой голос и убедиться, что он ещё жив. – Горошинка, – сказал Десперо, и имя любимой тут же кануло в черноту подземелья.

Он дрожал. Кашлял. Чихал. Зубы его громко стучали. Ему очень не хватало носового платка. В конце концов он ухватился за собственный хвост – просто, чтобы хоть на что-то опереться в этой жизни, – но за долгие секунды, пока он нащупывал его в кромешной тьме, он почти решил, что хвоста у него больше нет.

Он было собрался потерять сознание, поскольку в сложившейся ситуации ничего лучшего придумать не мог. Но потом ему вспомнились слова Ниточных дел мастера: *честь, благородство, преданность, отвага*.

«Я буду отважен, – решил Десперо. – Я постараюсь быть таким же отважным, как рыцарь в сияющих доспехах. Я буду отважен во имя принцессы Горошинки».

С чего же начать? Как тут быть отважным?

Он откашлялся. Отпустил свой хвост. Распрямил плечи.

– Однажды жил да был... – сказал он в темноту. Он произнёс эти слова, потому что они были самыми лучшими, самыми волшебными из всех, которые он знал. Они были надёжнее хвоста. – Однажды жил да был... – сказал он снова. Десперо по-прежнему чувствовал себя маленьким, но отваги у него стало чуть больше. – Жил да был рыцарь, и он всегда носил сияющие серебряные доспехи.

– Однажды жил да был? – прогрохотал из темноты чей-то голос. – Рыцарь в серебряных доспехах? Да разве мыши знают о подобных вещах?

Таким неслыханно громким голосом, наверно, может говорить только самая большая крыса на свете!

Уставшее за день сердечко Десперо снова замерло.

И он снова бухнулся в обморок.

Глава пятнадцатая

Свет

Придя в себя, Десперо понял, что сидит на ладони человека. Ладонь была большая, грубая, мозолистая. Прямо перед носом мышонка колыхалось пламя спички, а из-за пламени прямо на него смотрел огромный тёмный глаз.

— Ага, мышонок с красной нитью на шее, — прогремел голос. — Ну ещё бы! Кому как не Грегори знать все ваши повадки, ваши мышиные да крысиные законы. Грегори и сам носит ниточку. Видишь, мышонок? — Он поднёс спичку к свече, та занялась, и Десперо увидел, что у человека на ноге — толстая прочная верёвка.

— Только меж нами есть разница, — продолжал свою речь человек. — Моя ниточка ведёт к жизни, а твоя — к смерти.

Он задул свечу, и они оказались в полной темноте. Человеческая ладонь сжала мышонка плотнее, и сердце его бешено заколотилось. Это бился его страх.

— Кто ты? — прошептал он.

— Эх, мышиная твоя душа! Ответ прост. Я — Грегори. Тюремщик Грегори, которого похоронили тут заживо много лет назад. Приставили надзирать за этим подземельем. Уж полвека, почитай, прошло. Нет, много веков. Почитай, целая вечность. Твой новый

58

знакомец – тюремщик Грегори, с которым судьба сыграла презлую шутку. Он сторожит собственную тюрьму.

– Понятно, – сказал Десперо. – Грегори, ты меня отпустишь?

– Мышонок интересуется, отпустит ли его тюремщик Грегори? Послушай-ка старика Грегори, дурачок. Отпустить тебя – дело нехитрое. Но тебе будет совсем невесело. И свобода тебе вовсе не нужна. Куда тут идти? Куда идти во тьме, где за каждым углом тебя подстерегает жуть? Тут столько ходов-переходов, столько поворотов и тупиков, фальшивых дверей и дверей, ведущих в никуда. Ты тут же канешь, пропадёшь на веки вечные… В этом лабиринте только Грегори да крысы смогут найти дорогу. Крысярам тут вообще раздолье, потому что это чёрное подземелье – точно карта их чёрных душ. Зато у Грегори верёвочка к ноге привязана. Она его всегда куда надо выведет. К началу пути. Так что отпустить тебя для Грегори пустяк, а для тебя погибель. Обратно запросишься. Крысы-то тебя уже стерегут.

– Правда?

– А ты прислушайся. Вон их хвосты шуршат по грязной, вонючей жиже. Это крысяры за тобой спешат. Чтобы разорвать тебя на мелкие кусочки да съесть.

Десперо показалось, что он явственно расслышал, как точат свои и без того острые когти и зубы свирепые крысы.

– Сначала они сдерут с тебя кожу. Потом сгрызут мясо с костей, обглодают каждую косточку. В конце концов от тебя вовсе ничего не останется. Одна красная ниточка. Да ещё кости. Уж сколько мышиных костей перевидал Грегори на своём веку! Не сосчитать.

– Но мне надо жить! – сказал Десперо. – Мне нельзя умирать.

– Нельзя умирать? Слыхали! Он говорит, ему нельзя умирать! – Грегори сжал мышонка покрепче. – С чего бы это? Почему тебе нельзя умирать?

– Потому что я влюблён. Я люблю её и обязан служить ей верой и правдой.

– Влюблён, значит? – Грегори вздохнул. – Любовь, значит, у тебя приключилась? Ну, гляди, что от этой любви бывает.

Снова зажглась спичка, от неё – свеча, и Грегори поднял её повыше, осветив гигантскую кучу столовых ложек, кастрюль и суповых мисок.

– Гляди, мышатина, и мотай на ус. Гляди на памятник глупой людской любви.

– Но что это? – изумился Десперо, рассматривая странную кучу, вершина которой терялась во тьме.

– Что видишь, то и есть. Ложки-поварёшки, миски, кастрюли. Всё это свалено здесь как вещественные доказательства той боли, которую причиняет любовь. Король любил королеву, королева умерла, а в результате сюда свезли этот хлам, эту чудовищную кучу железок.

– Не понимаю, – честно признался Десперо.

– И не поймёшь, покуда не потеряешь того, кого любишь. Но довольно о любви, – оборвал себя Грегори и задул свечу. – Давай-ка лучше поговорим о твоей жизни. И о том, как Грегори тебя спасёт. Если пожелаешь.

– Зачем тебе меня спасать? – спросил Десперо. – Ты когда-нибудь прежде спасал мышей?

– Никогда. Ни единой.

– Зачем же тебе спасать меня? – удивился Десперо.

– Потому, мышиная твоя душа, что ты можешь рассказать Грегори сказку. Сказки – это свет. Самое ценное, что есть в здешней темноте. Так что, давай начинай. Расскажи Грегори сказку. Поддай в его жизнь свету!

Десперо хотел выжить во что бы то ни стало, поэтому он без раздумий произнёс:

– Однажды жил да был...

– Да, малыш, давай! – Голос у Грегори стал совершенно счастливый. Он поднял ладонь с мышонком повыше, потом ещё выше, пока усики Десперо не коснулись его морщинистого стариковского уха. – Давай, мышатинка! Рассказывай Грегори сказку.

Так и случилось, что Десперо стал единственным отправленным в подземелье мышонком, который не превратился в кучку костей на красной ниточке.

Его не съели крысы. Он спасся.

Читатель, если ты не против, мы ненадолго оставим нашего героя. У него всё складывается не так уж плохо: пусть он в подземелье, но на ладони человека, который решил его спасти, поскольку очень хочет послушать сказку.

Нам же пришло время отвлечься от мышей и поговорить о крысах. Точнее, об одном представителе этого племени.

Конец первой книги

Книга вторая

КЬЯРОСКУРО

Глава шестнадцатая

Ослеплённый светом

Теперь, читатель, настало время познакомиться с крысёнком по имени Кьяроскуро, которого сородичи зовут просто Роскуро. Мы вернёмся чуть дальше в прошлое и вспомним, как он родился среди вони и тьмы подземелья. Произошло это за несколько лет до того, как наверху, много ближе к лучам солнца, появился на свет Десперо.

Читатель, ты, случаем, не знаешь, что значит *кьяроскуро*? Заглянув в словарь, ты выяснишь, что это – сочетание света и тени, так называемая *светотень*. Иными словами, это свет и мрак, сведённые воедино. Вообще-то крысы не особенно жалуют свет. То есть, давая сыну такое имечко, родители Кьяроскуро явно хотели пошутить. С чувством юмора у крыс полный порядок. В сущности, все они полагают, что жизнь – очень забавная штука. И они правы, читатель. Они правы.

Однако в случае с Кьяроскуро шутка оказалась пророческой.

Ещё в раннем детстве крысёнок Роскуро набрёл в темноте подземелья на длинную верёвку.

– Так-так, – пробормотал Роскуро. – Что это нам попалось?

Как и пристало крысе, он тут же попробовал находку на зуб.

– А ну прекрати! – прогремел голос.

Появившаяся из мрака рука схватила крысёнка за хвост, и он повис в воздухе головой вниз.

– Крысятина, ты, никак, вздумал грызть верёвку Грегори?

– Кто ты такой, чтоб я тебе отвечал? – огрызнулся Роскуро, который уже усвоил повадки своих сородичей.

– Ты ещё и хамишь, наглец? Грызёт верёвку и дерзит в придачу! Ну ничего, Грегори тебя отучит раз и навсегда. Неповадно будет.

Продолжая держать Роскуро за хвост, Грегори ловко зажёг спичку о ноготь большого пальца – чирк! – и поднёс пламя к самой морде крысёнка.

– Аааа! – завопил Роскуро и отшатнулся.

Но он не сообразил закрыть глаза, и огонь заплясал-засверкал вокруг, проник внутрь него и взорвался там яркой россыпью.

– Неужто тебе никто не рассказывал здешних правил? – спросил Грегори.

– Каких таких правил?

– Верёвка Грегори неприкосновенна.

– И что из этого?

– А то! Не смей больше грызть верёвку Грегори. И проси прощения!

– И не подумаю.

– Извинись.

– Обойдёшься.

– Грязная тварь! – возмутился тюремщик. – Тварюга с чёрной душонкой! Как же все вы надоели Грегори! И ты, и твои сородичи...

Он поднёс спичку совсем близко к морде Роскуро, и их обоих окутал мерзкий запах палёных усов. Потом спичка погасла, а Грегори размахнулся и отпустил крысиный хвост. Роскуро полетел обратно в темноту.

– Не смей прикасаться к верёвке Грегори, иначе – мало не покажется.

Роскуро сидел на грязном полу. Усов слева от носа у него больше не было. Сердце колотилось отчаянно, а перед глазами всё плясало и плясало пламя, хотя спичка давно погасла.

– Свет, – произнёс он громко. А потом повторил, уже шёпотом: – Свет.

С этого дня Роскуро стал проявлять повышенный, просто-таки неумеренный интерес к источникам света любого рода. В кромешной тьме подземелья он постоянно искал хоть какие-то признаки света – мгновенную искру, слабое мерцание... Его крысиная душа преисполнилась неизъяснимой тоской: он полагал, что только свет, один только свет наполняет жизнь смыслом. А значит, смысла в его жизни нет. Роскуро был на грани отчаяния.

В конце концов он поделился своими чувствами с приятелем, старым одноухим крысом по имени Боттичелли Угрызалло.

– Знаешь, я думаю, что смысл жизни – свет, – сказал Роскуро.

– Свет? – повторил Боттичелли. – Ха-ха-ха! Вот уморил! Свет – смысл жизни! Какая связь?

– Тогда в чём смысл жизни? – спросил Роскуро.

– Смысл жизни в страдании, – назидательно произнёс старый крыс. – В чужом страдании. Надо заставлять их страдать. Кого – их? Ну, например, людей, заключённых в этом подземелье. Довести узника до слёз, заставить его стенать, пресмыкаться, молить о пощаде – не в этом ли самый высший смысл, наше предназначение в этой жизни?

Боттичелли вещал, помахивая медальоном-сердечком, свисавшим с длиннющего когтя на его правой передней лапке. Медальон этот, вместе с тонким заплетённым в косицу шнурком, он отобрал у узника. Когда Боттичелли говорил, медальон раскачивался в такт словам. Взад-вперёд, взад-вперёд.

– Ты меня слушаешь? – спросил у Роскуро старый крыс.

– Слушаю.

– Молодец. Делай, как я велю, и твоя жизнь наполнится превеликим смыслом. Знаешь, как мучить пленника? Во-первых, втереться в доверие и убедить его, что ты – друг. Выслушай все его душевные излияния, пускай вывернет душу наизнанку, признается во всех грехах. А потом, когда придёт время, говорить будешь ты. Скажи ему всё, что он так хочет услышать. Например, пообещай ему прощение. Это самая замечательная шутка, которую только можно сыграть с узником. Пообещать прощение.

– Почему? – спросил Роскуро, не сводя глаз с медальона: взад-вперёд, взад-вперёд.

– Потому что пообещаешь, да не выполнишь! – ликующе воскликнул Боттичелли. – Это самая изощрённая пытка! Он тебе доверится, а потом ты его отвергнешь. Лишишь последней надежды. Отнимешь у него всё, чего так жаждет его душа: прощение, свободу, дружбу...

Тут лекция прервалась, потому что Боттичелли одолел смех. Старый крыс хохотал до упаду, до изнеможения, ему даже пришлось сесть, чтобы отдышаться. Медальон покачался-покачался и остановился.

– Ха-ха! – ликовал Боттичелли. – Он тебе доверяет, а ты – бац! И он вдруг понимает, что ошибся, что ты не друг, а тот, за кого он принял тебя с самого начала. Он подозревал, кто ты, нет – он знал это всю дорогу, но предпочёл поверить, что ты друг, исповедник, отпускатель грехов. И ты тоже прекрасно знал, кто ты на самом деле. Ха-ха-ха! Ты – крыса! Просто крыса!

Боттичелли оттёр глаза лапой, покачал головой, удовлетворённо вздохнул и снова заговорил, а медальон стал качаться с новой силой.

– На этом этапе очень полезно побегать туда-сюда по ногам узника: его охватывает не только отчаянье, но и настоящий, физический ужас. Превосходное, ни с чем не сравнимое развлечение! К тому же исполненное величайшего смысла!

– Мне бы очень хотелось помучить пленника, – сказал Роскуро. – Я хочу заставить кого-нибудь страдать.

– Придёт время – помучаешь, – обнадёжил его Боттичелли. – На данный момент свободных узников нет, все пристроены. Но рано или поздно для тебя приведут новенького, Роскуро. Почему я так в этом уверен? Да потому что, на наше счастье, зло на земле не переведётся никогда. А раз есть зло, есть и тюрьмы, и в них сажают преступников.

– Значит, мне скоро приведут преступника?

– Да, – подтвердил Боттичелли Угрызалло. – Непременно.

– Мне уже не терпится его помучить.

– Ха-ха! Ну ещё бы! Конечно не терпится. Потому что ты крыса. Самая настоящая крыса.

– Верно. – Роскуро кивнул. – Я самая настоящая крыса.

– И никакой свет тебе не нужен.

– И никакой свет мне не нужен, – повторил Роскуро.

Боттичелли снова рассмеялся и покачал головой. Медальон, свисавший с его когтя, раскачивался взад-вперёд, взад-вперёд.

– Ты – крыса, мой юный друг. Ты – крыса. Да. Тут всё между собой связано. Зло. Преступники. Крысы. Страдание. Всё связано между собой так крепко, так сладостно... Как прекрасен этот мир, этот чудный тёмный мир! Мир тьмы.

Глава семнадцатая

Пусть утешится

Вскоре после этого достопамятного разговора в подземелье привезли преступника. Где-то наверху лязгнула дверь, и крысы увидели, как по ступеням в сопровождении королевского гвардейца спускается какой-то человек.

– Вот и отлично, – шепнул Боттичелли. – Этот твой.

Роскуро вгляделся в лицо нового узника.

– Я заставлю его страдать, – твёрдо сказал он.

Но пока он смотрел на человека, дверь внезапно распахнулась снова, и в подземелье хлынул густой, сверкающий поток дневного света.

– Фу! – Боттичелли прикрыл глаза лапой.

Роскуро же, напротив, неотрывно смотрел на свет.

Это очень важно, читатель! Юный крыс Кьяроскуро не отвернулся от света. Наоборот, он позволил свету проникнуть внутрь себя. И свет заполнил его до краёв, без остатка. Крысёнок даже ахнул от изумления.

– Отдай ему его тряпку, пусть утешится, – прогремел голос с лестницы, и вниз, прямо в световом потоке, полетел кусок алой ткани – плотной, похоже, шерстяной. На миг он завис в воздухе, ярко-красный, сияющий, а потом дверь снова закрылась, свет померк, и ткань упала на пол.

Поднял её тюремщик Грегори. Поднял и отдал новому узнику.

— Забирай свою скатёрку, — велел он. — Тебе тут любая тряпка сгодится, а не то сразу окоченеешь.

Заключённый накинул на себя скатерть, точно плащ, а королевский гвардеец сказал тюремщику:

— Ладно, Грегори, я пойду. Теперь он весь твой.

Гвардеец поднялся по ступеням. Дверь во внешний мир, к свету, на мгновение приоткрылась... и захлопнулась окончательно.

— Ты видел? — спросил у Боттичелли восхищённый Роскуро.

— Жуть какая! — проворчал Боттичелли. — Нелепые существа. Как они могут там жить? И как они смеют впускать сюда этот мерзкий свет? Тут как-никак темница!

— Это было очень красиво! — воскликнул Роскуро.

— Нет, — отрезал Боттичелли. — Ни капельки. — Он пристально посмотрел на Роскуро и повторил: — Совсем ни капельки не красиво.

— Я должен снова увидеть свет, — сказал Роскуро. — Весь свет. Я должен подняться наверх.

Боттичелли вздохнул:

— Вот ведь настырный какой! Да кому он нужен, твой свет? Послушай меня. Мы — крысы. КРЫ-СЫ. Мы не любим свет. Мы любим мрак. Мы сами — мрак. Мы — мрак и страдание.

— Но как же? А там? Наверху... — растерялся Роскуро.

— Никаких «но». И никаких «наверху». Крысы наверх не ходят. Там мышиное царство. — Боттичелли снял с себя медальон. — Из чего, по-твоему, сделан этот шнурок?

– Из усов.

– Из чьих усов?

– Мышиных.

– Вот именно. А кто живёт наверху?

– Мыши.

– Вот именно. Мыши. – Боттичелли отвернулся и сплюнул на пол. – Жалкие мешочки, набитые мясом, кровью и костями. Они всего боятся. Презренные трусы. Полная противоположность нашим идеалам. Неужели ты хочешь жить в их мире?

Роскуро посмотрел мимо Боттичелли вверх – туда, где из-под двери сочился вожделенный серебристый ручеёк света. И не ответил.

– Послушай меня, – твёрдо сказал Боттичелли. – Сейчас пора заняться пленником. Ты должен заставить его страдать. Иди, стибри у него эту красную тряпку. Она как раз оттуда, из верхнего мира. Наслаждайся, сколько влезет. Но сам туда, к свету, не ходи. Пожалеешь. – Старый крыс говорил, а медальон раскачивался на его когте взад-вперёд, взад-вперёд. – Ты для верхнего мира чужой. Ты – крыса. Крыса. Повтори за мной: «Я – крыса».

– Крыса, – повторил Роскуро.

– Эй, не мухлюй. Ты должен был сказать: «Я – крыса», а сказал просто «крыса». – Боттичелли недобро ухмыльнулся. – А ну, говори, как надо.

– Я – крыса.

– Ещё разок, – велел Боттичелли, размахивая медальоном.

– Я – крыса.

– Так-то. Крыса – она и есть крыса. Крысой родилась, крысой и помрёт. Вот и весь сказ. Во веки веков. Аминь.

– Да, – кивнул Роскуро. – Аминь. Я – крыса.

Он закрыл глаза. И снова увидел, как в золотом потоке света, медленно кружась, летит алая скатерть.

И тогда, читатель, он сказал себе, что ему нужна именно эта скатерть. А вовсе не свет.

Глава восемнадцатая

ПРИЗНАНИЯ

Роскуро, как и велел ему Боттичелли, отправился к узнику, чтобы заставить его страдать и чтобы забрать у него алую скатерть.

Узник, прикованный цепью прямо к полу, сидел, вытянув вперёд длинные ноги. Скатерть по-прежнему прикрывала его плечи.

Роскуро пролез сквозь прутья решётки и медленно, на полусогнутых лапах, стал подкрадываться к человеку по грязной склизкой топи.

Оказавшись совсем близко, он произнёс:

– Что ж, добро пожаловать! Мы счастливы, что отныне ты среди нас.

Мужчина зажёг спичку и взглянул на Роскуро.

Крысёнок с вожделением уставился на неровный свет.

– Продолжай, – предложил ему узник и, взмахнув рукой, погасил спичку. – Говори, крыса, если охота.

– Ты прав, – промолвил Роскуро. – Я крыса. Именно крыса. Не кто иной, как крыса. Ты удивительно наблюдателен и проницателен, с чем и позволь тебя поздравить.

– Чего тебе надо?

– Мне? Ничегошеньки! Лично мне не надо абсолютно ничего. А вот тебе нужен товарищ. И я пришёл составить тебе компанию, чтобы ты тут не свихнулся от одиночества.

– Крыса мне не товарищ.

– А как насчёт благожелательного слушателя?

– Кого-кого?

– Благожелательного слушателя. Ты ведь хочешь рассказать мне обо всех своих дурных деяниях? Покаяться в грехах?

– Каяться крысе? Да ты сбрендил!

– Послушай меня, – невозмутимо сказал Роскуро. – Закрой глаза. Представь, что я вовсе не крыса. Я просто голос. Голос в темноте. И я готов тебя слушать. Ты для меня важен.

Узник прикрыл глаза.

– Ладно, – промолвил он, – расскажу. Ты просто грязный крысёнок, поэтому какая разница – знаешь ты обо мне хоть что-то или нет? Врать тебе – много чести, поэтому я расскажу правду. Всю правду. – Он прокашлялся. – Меня упекли сюда за кражу. Я украл шесть коров. Двух бурых и четырёх пятнистых. Такое вот преступление. – Он открыл глаза и уставился в темноту. А потом вдруг рассмеялся. И снова закрыл глаза. – Но я совершил и другое преступление. Много лет назад. Они просто об этом не знают.

– Продолжай, – мягко подсказал Роскуро. И подполз ближе к человеку. Так близко, что смог дотронуться лапкой до волшебной алой скатерти.

– Я продал девочку, продал родную дочку. Выменял её на эту вот скатерть, да ещё на курицу-несушку и пригоршню сигарет.

Роскуро фыркнул. Подумаешь преступление! Его собственные родители с ним тоже не церемонились. И без колебаний променяли бы его на что-нибудь, просто никто им ничего путного не предлагал. А вообще человеческими преступлениями его, Роскуро, не удивишь. Ведь однажды, долгим воскресным днём, Боттичелли Угрызалло пересказал ему все признания, которые он услышал от узников за свою долгую жизнь. Чего только не творят люди!

– А потом... – произнёс узник.

– А потом... – ободряюще повторил Роскуро.

– Потом я сделал самое страшное. Я повернулся и ушёл. Я ушёл от неё, а она стояла там, плакала, звала меня... Но я даже не оглянулся. Даже не оглянулся. Господи, я просто шёл себе и шёл. – Он кашлянул. И всхлипнул.

– Вот оно что, – сочувственно сказал Роскуро, перебравшись на алую скатерть уже всеми четырьмя лапками. – Понимаю, понимаю. Скажи, тебе нравится скатерть, за которую ты продал дочку?

– Она тёплая.

– Значит, это того стоило?

– И цвет мне очень нравится.

– Но ведь скатерть постоянно напоминает тебе о твоём грехе?

– Ещё бы. – Узник снова шмыгнул носом. – Конечно напоминает.

– Давай я облегчу тебе жизнь, – произнёс Роскуро и, встав на задние лапки, отвесил узнику низкий поклон. – Чтобы ты смог позабыть о своём грехе, я у тебя эту вещицу... заберу.

Крысёнок вцепился зубами в вожделенную алую ткань и стащил скатерть с плеч человека.

– Эй, погоди! Отдай! Слышишь?

Но Роскуро оказался весьма проворен. Фюить – и он уже протащил скатерть сквозь прутья решётки. Прямо как фокусник! Представляешь, читатель?

– Отдай немедленно! – орал человек. – Это же всё, что у меня осталось!

– Именно так, – ответил Роскуро. – И именно поэтому я должен забрать у тебя эту скатерть.

– Грязная крыса!

– Это так верно! Не стану спорить.

С этими словами Роскуро покинул узника и потащил добычу себе в нору.

Там он её внимательнейшим образом рассмотрел.

Какое разочарование! Чем дольше он смотрел на скатерть, тем яснее понимал, что Боттичелли ошибся. Роскуро не нужна скатерть. Ему нужен свет, только свет, в потоках которого эта жалкая тряпка опускалась на пол подземелья.

Он хотел глотнуть света, как воздуха, и наполниться им без остатка. Он хотел захлебнуться в этом свете.

А для этого, читатель, он должен был подняться наверх. Роскуро понял, что это неотвратимо.

Глава девятнадцатая

Свет, повсюду свет

Читатель, попробуй представить, что ты прожил всю жизнь в тёмном-претёмном подземелье. А теперь представь, что однажды весной, на исходе дня, ты попадаешь из этой тьмы в верхний мир – к солнечным окнам, сверкающим полам, блестящим медным котлам, сияющим доспехам и расшитым золотом гобеленам, развешанным по стенам королевского замка.

Вообразил? Заодно, раз уж ты тренируешь воображение, представь, что в ту самую минуту, когда крыс Роскуро вылезает из темницы на свет, в том же замке рождается мышонок. Да-да, читатель, тот самый мышонок Десперо, которому непременно предстоит встретиться с ошалевшим от света Роскуро.

Но эта встреча ещё впереди, до неё ещё надо дожить. Пока же крыс просто стоит, упиваясь светом, – потрясённый и счастливый. Неужели бывает столько света?

Точно пьяный, Роскуро, пошатываясь, переступал с лапки на лапку и крутил головой, переводя взгляд с одного сверкающего предмета на другой.

– Я никогда, никогда отсюда не уйду, – восторженно бормотал он. – Никогда. Я не вернусь в подземелье. Ну что мне там делать?

Я никогда не стану больше мучить заключённых. Я хочу жить здесь. Только здесь.

Крыс закружился в счастливом танце и так, шажок за шажком, двигался из комнаты в комнату, из галереи в галерею, пока не очутился у дверей большого банкетного зала. Заглянув внутрь, он увидел там короля Филиппа, королеву Розмари, принцессу Горошинку, двадцать придворных, жонглёра, четырёх менестрелей и всю королевскую рать. Вот это был пир, читатель, вот это было зрелище – особенно для глаз Роскуро. Ведь он никогда прежде не видел счастливых людей. В подземелье все как на подбор были несчастны. Ни тюремщик Грегори, ни узники, заточённые в доверенную ему темницу, никогда не смеялись, не улыбались и не чокались с соседями по столу. Никогда прежде не слышал Роскуро этого хрустального звона.

Он стоял точно зачарованный. Всё сверкало. Всё. Золотые ложки на столе. Бубенчики на колпаке жонглёра. Струны на гитарах менестрелей. Короны на головах короля и королевы.

А маленькая принцесса! Какая же хорошенькая! Сама – точно лучик света. На платье – слепящие блёстки, аж глазам больно. А когда принцесса смеялась – а смеялась она почти не переставая, – всё вокруг светилось ещё ярче, каким-то особым светом.

– Господи! – выдохнул Роскуро. – Так не бывает! Это чудо какое-то! Надо обязательно сказать Боттичелли, что он не прав. Смысл не в страдании. Смысл – это свет.

И тут Роскуро не вытерпел. Задрал хвост повыше, и – в такт мелодии, которую играли на своих гитарах менестрели, – бодрым шагом вошёл в зал.

Читатель, этот крысёнок пригласил себя на банкет.

Глава двадцатая

Вид с люстры

В банкетном зале висела огромная, потрясающей красоты люстра. В её хрустальных подвесках отражался любой свет – и праздничное сияние стоявших меж тарелок свечей, и счастливое сияние глаз самой принцессы. Подвески колыхались над столом в такт музыке менестрелей, посверкивая и маня Роскуро. Ну конечно же! Люстра – это лучшее место во всём зале! Оттуда ему будет видно всё это великолепие!

В зале стоял такой шум и гам – тут смеялись, там пели и жонглировали, – что никто не заметил, как Роскуро проворно вскарабкался по ножке стола, а со столешницы – раз! – и перемахнул на нижний рожок люстры, благо он был совсем низко.

Держась одной лапой, он раскачивался туда-сюда, восхищаясь открывшимся ему удивительным зрелищем. Его окутывали ароматы вкуснейшей пищи, обволакивали сладостные звуки музыки и повсюду был свет, свет, свет... Потрясающе! Невероятно! Роскуро покачал головой и улыбнулся. Улыбнулся своему счастью.

Увы... Крыса – не такое уж маленькое существо, а люстра – весьма видное место. Короче, несмотря на шум и гам, долго провисеть на люстре незамеченным Роскуро не удалось.

Как ты думаешь, читатель, кто заметил его первым?

Ты прав.

Его заметила востроглазая принцесса Горошинка.

– Крыса! – закричала она. – На люстре крыса!

Как вы уже поняли, в зале было очень шумно. Менестрели рвали струны и глотки во всю мочь. Народ за столом беспрерывно хохотал. Бубенцы на колпаке жонглёра громко звенели.

И никто Горошинку не услышал. Никто, кроме самого Роскуро.

Крыса.

До сих пор он просто не понимал, насколько отвратительно звучит это слово.

Крыса.

Посреди великолепия банкетного зала слово *крыса* звучало особенно мерзко.

Крыса.

Это же клеймо! Оскорбительное клеймо! Слово, напрочь лишённое света! Услышав это слово из уст принцессы, Роскуро вдруг понял, что ему не нравится быть крысой. Он не хочет быть крысой! Истина открылась ему с такой силой и так внезапно, что Роскуро не смог больше цепляться за люстру.

Он полетел вниз.

И знаешь, куда он упал, читатель?

Он угодил в тарелку с супом, стоявшую перед королевой.

Глава двадцать первая

ПОСЛЕДНИЕ СЛОВА КОРОЛЕВЫ

Королева обожала суп. Больше супа она любила только принцессу Горошинку и короля Филиппа. И поскольку королева так любила суп, в замке его подавали не только на обед и на ужин, но и во время банкетов.

И какие душистые, какие вкусные там готовили супы! Толстуха Повариха так любила королеву, так восхищалась её отменным вкусом, что превратила бульоны из обычной еды в настоящие произведения искусства.

В тот самый день, готовя суп для того самого банкета, Повариха превзошла самоё себя. Получился не суп, а шедевр на курином бульоне, приправленный чесноком и листьями кресс-салата. Вынырнув со дна вместительной суповой тарелки королевы, Роскуро не мог отказать себе в удовольствии – он сделал несколько жадных глотков.

– Вкуснотища! – сказал он, позабыв, что ещё мгновение назад решил, что ему не стоит жить на свете. – Объедение!

– Вот видите! – Горошинка вскочила и показала на Роскуро пальцем. – Крыса! Я же говорила, что там крыса! Сначала она висела на люстре, а теперь упала маме в суп!

Музыканты перестали играть. Жонглёр перестал жонглировать. Придворные перестали есть.

Королева смотрела на Роскуро.

Роскуро смотрел на королеву.

Читатель, будучи честным человеком, я обязана сообщить тебе жестокую правду: крыса — животное некрасивое. Нет, крыса не просто некрасива — её даже милой не назовёшь. На самом деле, читатель, крыса — довольно-таки мерзкое создание, в особенности если она сидит в твоём супе и с усов у неё свисает кресс-салат.

Воцарилась долгая тишина. А потом Роскуро сказал:

— Извините пожалуйста.

В ответ королева отбросила ложку и издала невероятный и недостойный королевы звук, нечто среднее между ржанием лошади и поросячьим визгом: *иииии-го-го-виииииии-уиииииии...*

А потом сказала:

— У меня в супе крыса.

Королева, эта добрая простая душа, всю жизнь говорила только совершенно очевидные вещи.

Она и умерла, как жила.

«У меня в супе крыса» — были её последние слова.

Она сжала руки на груди и упала навзничь. Спинка кресла с грохотом ударилась об пол. И тут зал взорвался. Все побросали ложки и повскакали с мест.

— Спасите её! — прогремел голос короля. — Спасите!

И вся королевская рать бросилась спасать королеву.

Роскуро тем временем выбрался из тарелки. Он понял, что в сложившихся обстоятельствах ему лучше отсюда убраться. И побыстрее. Он бросился бежать по столу со всех лап, но вдруг вспомнил рассказ узника о его главном грехе. Как он ушёл от дочки и даже не оглянулся. Поэтому Роскуро остановился.

И оглянулся.

И увидел, что принцесса смотрит прямо на него. В её взгляде были лишь отвращение и страх.

В этом взгляде он прочитал: «Тебе одна дорога – вниз, в подземелье. Здесь тебе не место».

Читатель, этот взгляд разбил сердце Роскуро.

Думаешь, у крыс нет сердца? Ошибаешься. Сердце имеется у любой живой твари. И любое сердце можно разбить.

Не остановись тогда Роскуро, не оглянись на принцессу, быть может, его сердце осталось бы целёхоньким. И, возможно, тогда мне не пришлось бы рассказывать тебе эту историю.

Но он оглянулся, читатель. Он оглянулся.

Глава двадцать вторая

Собранное из осколков сердце

Роскуро заспешил вон из банкетного зала.

— Крыса, — пробормотал он и прижал лапу к сердцу. — Да, я крыса. А крысам свет не положен. Для меня в этом мире света нет.

Между тем вся королевская рать склонилась над королевой. Король продолжал кричать: «Спасите её! Спасите!» — но королева была непоправимо мертва. И как раз в этот момент Роскуро наткнулся на полу на ложку с королевским вензелем. Её отшвырнула королева, когда увидела его в тарелке.

— Я всё-таки заберу отсюда что-то прекрасное, — громко сказал он сам себе. — Я крыса, но я тоже имею право на красоту. Это будет моя корона. — Он поднял ложку. И водрузил её себе на голову. — Да, я имею право на красоту, — повторил он. — А ещё я отомщу. Отныне важны только две вещи: красота и месть.

Читатель, бывают сердца, которые разбиваются раз — и навсегда. Можно, конечно, склеить по кусочкам, но сердце получается уже не то — кособокое, всё в трещинах, и никакой, даже самый искусный мастер тут не поможет. Именно такая участь постигла Кьяроскуро. Его сердце было разбито. Но потом он поднял ложку, надел её на голову, заговорил о мести, и это помогло ему склеить собственное сердце из тысячи осколков. Но, увы, оно уже не было прежним.

– Где эта крыса? – завопил король. – Поймайте крысу!

– Вы найдёте меня там, где мне пристало жить, – пробормотал Роскуро, покидая зал. – В подземелье. Во мраке.

Глава двадцать третья

Последствия

Разумеется, поступок Роскуро повлёк за собой пренеприятные последствия. Тебе ведь известно, читатель, что последствия бывают у любого, даже самого маленького поступка. Вот например: крысёнок Роскуро погрыз верёвку тюремщика Грегори, и именно поэтому Грегори зажёг спичку и поднёс её к морде Роскуро, к самым глазам, и именно поэтому в душе Роскуро загорелась такая сильная любовь к свету.

Душа Роскуро пылала любовью к свету, и именно поэтому он отправился наверх в поисках света. А наверху, в банкетном зале, его заметила принцесса Горошинка и закричала: «Крыса!» — и именно поэтому Роскуро упал в суп королевы. Он упал в суп королевы, и именно поэтому королева умерла. Так что, сам видишь, читатель: всё в этом мире взаимосвязано. И любой поступок обязательно имеет последствия.

Ну, например... с твоего разрешения я ещё немного поразмышляю о последствиях, ладно?.. Например, именно потому, что королева умерла, когда ела суп, безутешный король после её смерти вообще запретил своим подданным есть суп. Суп стал вне закона, и именно поэтому все предметы, так или иначе связанные с супом – ложки, тарелки, кастрюли, половники, – тоже стали вне закона. Посему все эти вещи были отобраны у жителей королевства Дор и свалены в кучу в подземелье замка.

А ещё... поскольку опалённый спичкой и зачарованный светом крыс Роскуро поднялся наверх и упал в суп королевы, а она от этого возьми да и умри, король повелел убить всех крыс в королевстве.

Вся королевская рать бесстрашно спустилась в подземелье, чтобы убить всех крыс. Но с крысами всё не так-то просто. Чтобы их убить, их надо сначала найти. А если крыса не хочет, чтобы её нашли? Ты прав, читатель! Её никто не найдёт.

Вся королевская рать преуспела только в одном: гвардейцы безнадёжно потерялись в бесконечном подземном лабиринте, и некоторым из них так и не довелось снова увидеть свет – они канули в этом мраке, пропали на веки вечные. Таким образом, убить всех крыс не удалось. Отчаявшись их убить, король объявил их вне закона. Все крысы отныне стали преступниками.

Объявить крыс вне закона, разумеется, довольно нелепая затея, поскольку крысы и так никаким законам не подчиняются. Они от роду вне закона. Так что король только зря время терял. И зря воздух сотрясал. Тем не менее указ есть указ, и он гласил, что все крысы в королевстве Дор – преступники и обращаться с ними надо соответственно. Что ж, король волен издавать любые указы, даже глупые и нелепые. На то он и король – ему всё можно.

Но, читатель, ты ведь помнишь, что король Филипп очень любил королеву? А без неё он чувствовал себя совсем потерянным. В этом и заключается вся опасность любви: ты можешь быть

сильным, могущественным, ты можешь даже быть королём, ты можешь править даже не одной, а многими странами, но ты не можешь спасти от смерти тех, кого любишь. Так что давай простим короля Филиппа, читатель: он очень страдал без королевы и издавал все эти нелепые указы, вроде запрещения супа или объявления крыс преступниками, просто чтобы утешить своё сердце.

Ты спросишь, что сталось с крысами? Вернее, с той самой единственной крысой, из-за которой разгорелся весь этот сыр-бор?

Ты хочешь узнать, что было дальше с Кьяроскуро?

Он восседал в подземелье с короной из ложки на голове. Сидел в собственной норе и прилаживал к ложке кусочек, отгрызенный им от алой скатерти, чтобы получилась королевская мантия.

Он прилежно трудился, а старый одноухий крыс Боттичелли Угрызалло сидел рядом и помахивал медальоном взад-вперёд, взад-вперёд.

– Ну что, понял, каково наверх-то ходить? – говорил он. – Надеюсь, этот урок пойдёт тебе впрок. Твоё предназначение в этом мире – причинять страдание.

– Ага, именно этим я и займусь, – пробормотал Роскуро. – Я заставлю принцессу страдать – за тот последний взгляд, которым она меня смерила.

Пока Роскуро мастерил себе мантию и вынашивал планы мести, тюремщик Грегори, по обыкновению, обходил подземелье, крепко держась за свою верёвку, а узник, который когда-то выменял дочку на красную скатерть, а теперь лишился и скатерти, сидел в своей камере и тихонько плакал. Днём и ночью.

Наверху же, в королевском замке, однажды под вечер маленький мышонок замер, услышав какой-то необычайно сладкий звук. Его братья и сёстры тем временем суетились, вынюхивая хлебные крошки. Мышонок стоял, склонив голову набок, не умея назвать, что именно он слышит... Любовь этого мышонка к музыке тоже имела последствия. О некоторых из этих последствий ты, читатель, уже знаешь. Именно благодаря музыке мышонок попадёт в покои принцессы. И полюбит принцессу всей душой.

Кстати, о последствиях. Как раз когда Десперо впервые замер, услышав звуки музыки, в сгущающихся сумерках к замку подъезжала телега, гружённая ложками, половниками, тарелками и кастрюлями. Лошадей настёгивал кнутом королевский солдат. А возле солдата сидела девочка с престранными ушами. Они были похожи на капустные кочерыжки.

Читатель, эту девочку зовут Миггери Соу. Именно она поможет Роскуро осуществить задуманную им месть, хотя сама она, подъезжая к замку, об этом пока не подозревает.

Конец второй книги

Книга третья
УХ ТЫ! ИСТОРИЯ МИГГЕРИ СОУ

Глава двадцать четвёртая

Пригоршня сигарет, красная скатерть и курица

Иснова, читатель, прежде чем мы узнаем будущее, нам предстоит заглянуть в прошлое. Я расскажу тебе историю о жизни Миггери Соу, девочки, которая родилась задолго до мышонка Десперо и крысёнка Кьяроскуро вдалеке от королевского замка и получила имя в честь любимой свиньи своего отца.

Миггери Соу было шесть лет, когда её мама умерла, держа дочку за руку и глядя ей прямо в глаза.

– Мама? – позвала Мигг. – Мама, почему ты не хочешь остаться со мной?

– Кто это? – спросила мама. – Кто держит меня за руку?

– Это я, мама. Я, Миггери Соу.

– А, это ты детка... Отпусти меня.

– Но я хочу, чтобы ты осталась со мной.

– Ты хочешь... – повторила мама.

– Хочу, – отозвалась Мигг.

– Да разве кого-то волнует, чего ты хочешь?.. – произнесла мама.

Она сжала ладонь Мигг разок-другой и умерла, а Мигг осталась с отцом, который вскоре после смерти жены пошёл в базарный день на ярмарку да и продал свою дочку в служанки, получив за неё скатерть, курицу-несушку и пригоршню сигарет.

– Папа? – окликнула его Миггери, когда он уходил с курицей под мышкой, сигаретой в зубах и красной скатертью, накинутой на плечи, точно плащ.

– Отстань, Мигг, – сказал он. – Ты теперь принадлежишь этому дяде.

– Но я так не хочу, папа, – сказала девочка и вцепилась в край красной скатерти. – Я хочу домой, с тобой.

– Господи, да кого волнует, чего ты хочешь? – воскликнул отец. – Иди и отстань от меня. – Он отцепил её пальцы от скатерти и подтолкнул дочку к человеку, который её купил.

Мигг смотрела вслед отцу, смотрела, как развевается, точно плащ, красная скатерть. Отец бросил Миггери Соу. И ты, читатель, уже знаешь, что он даже не оглянулся. Ни разу.

Представляешь? А если б твой папа продал тебя за скатерть, курицу и пригоршню сигарет? Ну-ка, закрой глаза и представь себе это хотя бы на минутку.

Получилось?

Надеюсь, волосы у тебя на голове встали от ужаса дыбом. Надеюсь, ты теперь вполне сочувствуешь Миггери Соу и представляешь, каково было бы оказаться на её месте.

Бедняжка Мигг. Что с ней будет? Хоть ты и напуган, читатель, всё-таки наберись смелости и читай дальше.

Переверни страницу. Это твой долг перед Миггери Соу.

Глава двадцать пятая

Порочный круг

Купившего её человека Миггери Соу называла Дядей, он так велел. А ещё он велел ей ухаживать за овцами, готовить еду и чистить котлы, и Мигг всё это исправно делала. От Дяди она никогда не слышала ни похвалы, ни даже простого «спасибо».

Другая печальная особенность житья у Дяди заключалась в том, что он любил, как он сам выражался, «дать ей в ухо». Справедливости ради заметим, что, прежде чем ударить, он всегда осведомлялся у Мигг, хочет ли она получить в ухо.

Их ежедневные разговоры выглядели так:

Д я д я. Я вроде велел тебе котёл почистить?

М и г г. Я почистила, Дядя, я очень хорошо почистила.

Д я д я. Но он весь грязный! Ща в ухо дам!

М и г г. Дядя, честное слово, я его чистила!

Д я д я. Так я, по-твоему, вру?

М и г г. Нет, Дядя.

Д я д я. Значит, в ухо хочешь?

М и г г. Нет, Дядя, спасибо, не хочу.

Увы, Дядю, как и родителей Миггери Соу, нисколько не волновало, чего она хочет и чего не хочет. Мигг неизменно получала

затрещину, причём Дядя отвешивал её с неизменным энтузиазмом, а Миггери принимала с неизменной неохотой.

Эти затрещины обрушивались на уши Мигг с пугающей частотой. Дядя был человеком справедливым и старался не обделить своим вниманием ни правое, ни левое ухо Миггери. Поэтому со временем её уши перестали напоминать человеческие и тем более детские уши и стали похожи на капустные кочерыжки.

Да и толку от них было не больше чем от кочерыжек. То есть, в сущности, они разучились работать как нормальные уши. Они перестали слышать. Сначала слова в сознании Мигг стали как-то расплываться, словно в тумане. Туман этот густел и густел, слова были уже едва различимы и потеряли для Мигг всякий смысл.

Чем хуже слышала девочка, тем меньше понимала. А чем меньше понимала, тем больше делала не так. А чем больше она делала не так, тем чаще получала в ухо и тем хуже слышала. Это называется порочный круг. Миггери Соу оказалась в самом центре порочного круга.

Читатель, поверь, это не самое приятное место. И попасть туда по доброй воле никто не хочет.

Впрочем, ты уже понял: то, чего хотела или не хотела Миггери Соу, никого в этом мире не заботило.

Глава двадцать шестая

Королевские особы

Когда Мигг исполнилось семь лет, не было ни пирога, ни праздника, ни песен, ни подарков. Собственно, день остался бы самым обычным, не скажи Мигг с утра:

– Дядя, мне сегодня семь лет.

– Я что, спрашивал, сколько тебе сегодня лет? – отозвался Дядя. – Убирайся, а то в ухо дам.

Через пару часов Миггери всё-таки получила в подарочек на день рождения увесистую затрещину, а к вечеру отправилась в поле за Дядиными овцами. И вдруг на горизонте что-то засияло и засверкало.

Сначала Мигг решила, что это солнце. Но потом повернулась и увидела, что солнце на западе, там, где ему в это время и надлежит быть, и оно скоро совсем скроется. А сияние с другой стороны всё разгоралось. Нет, это не солнце, это что-то другое! Прикрыв глаза левой ладошкой, чтобы не ослепнуть, Мигг стояла посреди поля, а сияние всё приближалось и приближалось и в конце концов превратилось в короля Филиппа, королеву Розмари и их дочку, юную принцессу Горошинку.

Королевские особы.

Королевских особ окружали рыцари в сверкающих латах. Лошади, на которых они скакали, тоже были облачены в сверкающие доспехи. На головах королевских особ сияли короны, а одежду короля, королевы и принцессы украшали драгоценные камни и блёстки, которые отражали лучи закатного солнца и переливались всеми цветами радуги.

– Ух ты! – выдохнула Мигг.

Белоснежная лошадь под принцессой Горошинкой выкидывала длинные ноги высоко и изящно. Увидев на поле опешившую от всего этого великолепия Миггери Соу, Горошинка приветливо ей помахала.

– Здравствуй! – весело крикнула принцесса. – Здравствуй! – И она снова махнула рукой.

Но Миггери не махнула в ответ. Она просто стояла разинув рот и смотрела во все глаза на этих красивых людей, на эту идеальную семью.

– Папа! – окликнула принцесса короля. – А почему девочка не помахала мне в ответ? С ней что-то не так?

– Не обращай внимания, дорогая, – ответил король. – Это не имеет никакого значения.

– Но я принцесса. И я с ней поздоровалась. Она должна была хотя бы помахать в ответ.

Мигг же продолжала безмолвно пялиться вслед кортежу. Вид королевской семьи пробудил в ней какую-то глубокую, прежде дремавшую потребность, точно от сияния, окружавшего короля, королеву и принцессу, в душе девочки зажёгся огонёк надежды.

Впервые в её жизни, читатель, впервые в жизни.

А надежда... она сродни любви. Она тоже нелепа, чудесна и могущественна.

Мигг попыталась разобраться: что же с ней происходит? Она приложила руку к одному из своих измученных ушей и поняла, что внутри её расцветает, разгорается какое-то чувство – совсем иное, чем после привычных затрещин. Не просто иное, а ровно противоположное.

Миггери улыбнулась, отняла ладонь от уха и помахала принцессе.

– У меня сегодня день рождения! – крикнула она.

Но король, королева и принцесса её не услышали, они были уже далеко.

– Мне сегодня семь лет! – крикнула им вслед Миггери Соу.

Глава двадцать седьмая
ЖЕЛАНИЕ

В тот вечер, вернувшись в убогую хижину, где она жила вместе с Дядей и овцами, Мигг попыталась рассказать о том, что видела.

– Дядя, – робко начала она.

– Ну?

– Я видела сегодня людей, которые как звёзды.

– Это как?

– Они все сияли, сверкали, и там была маленькая принцессочка, и у неё тоже была корона, а ехала она на белой лошадке с острыми копытцами.

– Ты о чём? Никак в толк не возьму.

– Я видела короля с королевой и их принцессочку хорошенькую! – крикнула Мигг погромче.

– Ну и что?! – крикнул Дядя в ответ.

– Я бы хотела... – начала Мигг и опустила глаза. – Я бы тоже хотела стать такой принцессочкой.

– Тоже мне прынцесса выискалась! Да ты ж уродина глухая! Ты и того не стоишь, что я за тебя отдал! Вот бы мне вернуть несушку и скатерть, а от тебя отделаться раз и навсегда! Знаешь, как я об этом мечтаю?

Задав этот вопрос, Дядя не стал дожидаться ответа. Он продолжал вещать:

– Да, я мечтаю об этом денно и нощно. Скатерть была красивая, ярко-красная. А курица что ни день клала яйца!

– Я хочу быть принцессочкой, – повторила Мигг. – И чтоб на голове корона.

– Корона! – фыркнул Дядя. – Глядите, люди добрые! Она уже корону напялила! – Он недобро рассмеялся и, взяв пустой котелок, водрузил его себе на голову. – Глянь на меня! Видишь корону? Значит, я – король. Мне ничего другого не надобно. Захотел быть королём, и вот! Я сам себе король.

Он затопал, закружил по комнате с котелком на голове. И принялся хохотать. Хохотал-хохотал, а потом заплакал. Он остановился, снял котелок с головы и посмотрел на Мигг:

– А в ухо не хочешь? За все эти глупости?

– Нет, Дядя, спасибо. Не надо.

Но затрещину она всё-таки схлопотала. После чего Дядя произнёс:

– О прынцессах больше ни слова. Да и кому охота знать, кем ты хочешь быть?

Читатель, ты уже знаешь ответ на этот вопрос, верно? Ты прав. До желаний Миггери Соу никому не было дела.

Глава двадцать восьмая

Дорога в замок

Прошли годы. Миггери Соу провела их за привычной работой: скребла котлы, ходила за овцами, убирала в хижине и получала за всё бесконечные затрещины – без меры и счёта. И во всякий день, во всякое время года – и зимой, и летом, и весной, и осенью – она отправлялась на закате в поле, надеясь, что мимо снова проедет семейство короля.

– Только бы мне увидеть принцессочку ещё раз, хоть глазочком. И лошадку её беленькую с острыми копытцами, – в который раз твердила она.

Надежда увидеть принцессу снова и мечта самой когда-нибудь стать принцессой были для неё неразрывны, они пробудились в ней разом, одновременно, и теперь горели в сердце Мигг неугасимым пламенем.

Первая половина надежды, как ни странно, осуществилась, ибо извивы судьбы неисповедимы. Читатель, ты помнишь, что король Филипп запретил своим подданным есть суп? Королевских гвардейцев послали тогда во все концы, чтобы сообщить эту пренеприятную новость всем жителям королевства Дор и заодно отобрать у них кастрюли, миски, ложки и половники.

Читатель, тебе ведь известно, почему суп оказался под запретом? Поэтому ты не стал бы удивляться так сильно, как удивился Дядя, когда в дверь его ветхой хижины однажды в воскресенье постучал гвардеец и объявил ему, Мигг и овцам, встретившим его на пороге, что суп отныне есть запрещено.

– Кто ещё запретил? – пробурчал Дядя.

– Согласно высочайшему указу короля Филиппа! – провозгласил гвардеец. – Меня послали сообщить вам, что в королевстве Дор суп объявлен вне закона. Согласно указу короля, вы никогда больше не съедите ни ложки супа. Вы не станете о нём говорить, и даже думать о нём теперь не положено. Поэтому я, преданный слуга короля, обязан забрать у вас все суповые ложки, миски и котелки.

– Но как же так? – опешил Дядя.

– Вот так! – уверенно подтвердил гвардеец.

– А что мы будем есть? И чем?

– Пироги и торты. Вилками.

– Эх, если б у меня водились деньжата на торт! Ты спятил? Мы ж ничего, кроме супа, не едим.

Гвардеец пожал плечами:

– Я всего лишь выполняю приказ. Прошу сдать ложки, миски и котлы.

Дядя сгреб свою бороду в кулак. Потом он отпустил бороду и схватил себя за вихры.

– Ошалеть можно! – воскликнул он. – Сегодня король прислал за ложками, а завтра небось пришлёт за овцами да за девчонкой моей, поскольку больше у меня и отобрать-то нечего.

– Вы отец этой девочки? – уточнил гвардеец.

– Нет, я её хозяин. Зря, конечно, купил, но теперь уж что поделаешь? Моя она.

– Боюсь, что это тоже незаконно, – сказал гвардеец. – В королевстве Дор ни один человек не может владеть другим.

– Но я заплатил за неё! Всё честь по чести! Выложил скатёрку ярко-красную, курицу-несушку да ещё пригоршню сигарет в придачу.

– Это не имеет значения, – твёрдо сказал гвардеец. – Владеть человеческим существом противозаконно. Так что извольте сдать ложки, миски, котлы и девочку тоже. Если же вы отказываетесь передать мне добровольно все эти вещи, вам самому придётся последовать за мной и сесть в подземную тюрьму под королевским замком. Что предпочитаете?

Так и вышло, что Миггери Соу очутилась на телеге, гружённой всякой суповой утварью, и поехала в королевский замок.

– У тебя есть родители? – спросил её гвардеец. – Я могу тебя им вернуть.

– Чё? – Мигг не расслышала.

– Мать есть? – прокричал ей в ухо гвардеец.

– Померла.

– Отец есть?

– Я его не видала с тех пор, как он меня продал.

– Ладно, тогда я тебя в замок отвезу.

– Чё? – Мигг опять не расслышала и беспомощно оглянулась.

– Я отвезу тебя в замок! – прокричал ей в ухо гвардеец.

– В замок? Где живёт принцессочка?

– Туда.

– Хорошо. Я тоже когда-нибудь стану принцессой.

– Неплохой замысел, – похвалил гвардеец и, крикнув лошади «но!», тронул поводья.

– Хорошо, что я еду в замок, – повторила Мигг и бережно потрогала свои уши-кочерыжки.

– Радуйся, не возбраняется. Хотя никому, кроме тебя, знать об этом не интересно, – ответил гвардеец. – Я везу тебя в замок, и баста. Там тебя к какому ни на есть делу пристроят. Кончилось твоё рабство. Служанкой будешь, служанкам жалованье платят.

– Чего? – Мигг опять не расслышала.

– Ты будешь служанкой, – прокричал ей в ухо гвардеец. – Не рабыней.

– Ух ты! – обрадовалась Мигг. – Я буду служанкой. Не рабыней.

Ей было в этот момент двенадцать лет. Её мама давно умерла. Отец её продал. Дядя, который был ей вовсе не дядя, измочалил её уши затрещинами, так что она почти потеряла слух. А ей больше всего на свете хотелось быть маленькой принцессочкой с золотой короной на голове и ездить на белой лошадке, которая цокает копытцами и выкидывает высоко вверх тонкие ноги.

Читатель, как думаешь, стоит ли тешить себя надеждами, когда надеяться в общем-то не на что? Но ведь мечтать и надеяться – не преступление? В конце концов, мечтать (как и радоваться) не возбраняется – гвардеец сам так сказал. Хотя бы потому, что никого, кроме тебя, это вообще не волнует.

Глава двадцать девятая

СПЕРВА ВЕНЕРАНС,
А ПОТОМ КАТУШКА

У дача, раз улыбнувшись, уже не оставляла Миггери Соу.
В первый же день её службы во дворце девочку послали отнести
принцессе катушку красных ниток.

– Заруби себе на носу, – сказала Начальница всех служанок,
строгая женщина по имени Луиза. – Принцесса – особа королевской крови, поэтому ты должна сделать реверанс.

– Чё? – громко переспросила Мигг.

– Реверанс сделай! Не забудь! – крикнула Луиза.

– Ага, – обрадовалась Мигг. – Венеранс. Непременно, мэм.

Взяв нитки из рук Луизы, она начала подниматься по золотой
лестнице в покои принцессы. Она шла и тихонько разговаривала
сама с собой.

– Вот ты идёшь, идёшь и сейчас увидишь принцессочку. Ты,
Миггери Соу, собственной персоной, сейчас увидишь принцессочку, тоже собственной персоной. И не забудь – сразу венеранс,
потому что она особа королевской крови.

Однако у самой двери в покои принцессы Мигг вдруг страшно
перепугалась. Она стояла, стиснув катушку в кулаке, и бормотала:

– Как же это? Чё делать-то? Сперва катушку отдать, а потом ве-ранс? Или нет, сначала неранс, а потом катушку отдать. Да, так, точно так. Сперва ве-не-ранс, а потом катушка.

Она постучала в дверь.

– Войдите, – сказала изнутри Горошинка.

Но Мигг её голоса не услышала и постучала ещё раз.

– Войдите, – повторила Горошинка.

Но Мигг снова ничего не услышала и постучала в третий раз. «Может, принцессочки и дома-то нет», – подумала она.

Но тут дверь распахнулась, и на пороге оказалась принцесса собственной персоной. И она смотрела прямо на Миггери Соу.

– Ух ты! – выдохнула Мигг да так и осталась стоять с открытым ртом.

– Здравствуй, – сказала Горошинка. – Ты, наверно, новая служанка? Нитки принесла?

– Сперва реванс! – скомандовала себе Мигг и, подобрав юбки для реверанса, тут же выронила катушку, а потом, пытаясь изобразить реверанс, наступила на катушку и стала балансировать на ней, пытаясь обрести равновесие.

Это продолжалось довольно долго – так, во всяком случае, показалось раскачивавшейся на катушке Мигг и принцессе, которая за этим наблюдала, но потом новая служанка всё-таки грохнулась на пол к ногам Горошинки.

– УУУУУУУУУУх-тыыыыыыыыы! – сказала Миггери Соу.

Больше Горошинка сдерживаться не могла – новая служанка громко расхохоталась.

– Ничего страшного, – проговорила она сквозь смех. – Главное порыв, а не результат.

– Чё? – Мигг и не поняла и недослышала.

– Главное, что ты хотела сделать как надо! – прокричала Горошинка.

– Спасибо, мисс. – Мигг медленно поднялась на ноги, взглянула на принцессу. И тут же испуганно потупилась. – Сперва вернанс, а потом катушка, – пробормотала она.

– Ты о чём? – удивилась Горошинка.

– Господи! – воскликнула Мигг. – А катушка-то где?!

Она снова плюхнулась на пол и поползла на локтях и коленках искать катушку. Слава богу, нашла! Мигг выпрямилась и протянула катушку принцессе.

– Я ж вам катушку принесла! Держите вот.

– Замечательно! – ответила Горошинка. – А то у меня красные нитки всё время теряются. Остальные на месте, а красные что ни день пропадают.

– Вы чего шьёте-то? – спросила Мигг, скосив глаза на кусок ткани в руке принцессы.

– Я вышиваю историю мира. Моего мира. Видишь, вот – король, мой отец. Он тут играет на гитаре, потому что и в жизни очень любит это делать и играет очень хорошо. А тут моя мама, королева, и она ест суп, потому что больше всего на свете она любила суп.

– Суп? Ух ты! Его ж запрещено есть!

– Конечно! Его как раз мой папа и запретил, потому что мама умерла, когда ела суп.

– Ваша мама померла?

– Да. Месяц назад. – Принцесса закусила дрожащую губу, чтобы не расплакаться.

– Ух ты! – воскликнула Мигг. – Так моя ж маманя тоже померла!

– А сколько тебе тогда было лет?

– Билет? Какой билет? – Мигг не расслышала вопрос.

– Не билет! – прокричала принцесса. – Сколько лет тебе было, когда у тебя мама умерла?

– Шесть без малого.

– Бедная! – Принцесса посмотрела на Мигг с глубоким сочувствием. – А сейчас тебе сколько?

– Двенадцать.

– И мне тоже! – оживилась Горошинка. – Мы с тобой ровесницы! Как тебя зовут? – спросила она погромче.

– Миггери. Миггери Соу. Но люди кличут Мигг. А я вас раньше видела! – выпалила девочка. – Вы мимо меня на белой лошадке проехали. Это был день моего рождения, я ещё в поле стояла, Дядиных овец пасла. На закате.

– Я тебе помахала? – спросила принцесса.

– Чё?

– Я тебе рукой помахала? – прокричала Горошинка.

– Да, – кивнула Мигг.

– А почему ты не помахала в ответ?

– Махала я. Только вы уж далеко ускакали. Когда-нибудь я тоже поскачу на белой лошадке, корону надену и буду людям махать. – Мигг по привычке потрогала свое ухо-кочерыжку. – Я тоже, как вы, принцессочкой стану.

– Правда? – Принцесса метнула на Мигг быстрый, внимательный взгляд, но больше ничего не сказала.

Когда Мигг спустилась в конце концов по золотой лестнице, внизу её поджидала Луиза.

– Ты там у принцессы ночевать вздумала? – возмутилась она.

– Слишком долго? – догадалась Мигг.

– Именно! – сказала Луиза и отвесила Миггери затрещину не хуже Дядиной. – Хорошей служанкой тебе не стать. Это ясно как день.

– Не стать, – согласилась Мигг. – Но это не важно, мэм. Потому что я стану принцессочкой.

– Ке-е-ем? Тоже ещё – прынцесса выискалась. Не смеши!

На самом деле Начальница всех служанок сказала это для красного словца, поскольку она вообще никогда не смеялась. Категорически. Даже представив Миггери Соу с короной на голове.

Поселившись в королевском замке, Миггери Соу впервые за свою недолгую жизнь начала есть досыта. И как она ела! За обе щёки! Вскоре эти щёки, а потом и вся Мигг стали кругленькими. Потом пухлыми. Потом толстыми. Миггери Соу толстела, толстела и наконец стала необъятна. Только голова её по-прежнему оставалась маленькой.

Читатель, рассказывая эту историю, я вынуждена время от времени сообщать тебе горькие и даже неприятные истины. И сейчас, как честный человек, скажу тебе вот что: Мигг была чуточку ленива. Кроме того, звёзд с неба она явно не хватала. То есть соображала довольно туго.

Начальница всех служанок поручала ей то одну, то другую работу, но из-за упомянутых выше недостатков Мигг не справлялась ни с чем. Из неё не вышло фрейлины (девочку застукали, когда она украдкой примеряла наряд заезжей герцогини), не вышло белошвейки (латая плащ учителя верховой езды, она умудрилась пришить его к собственному платью и безнадёжно испортила обе вещи) и, наконец, не вышло горничной. Она останавливалась посреди комнаты, которую её посылали убрать, да так и замирала там, раскрыв рот от восхищения, любуясь золотыми узорами на стенах, полах и кушетках и поминутно восклицая: «Ух ты, красота-то какая! Ух ты, вот это да!» До уборки дело так и не доходило.

Пока Начальница всех служанок пыталась найти для Мигг хоть какую-нибудь работу, в замке происходили и другие, вполне важные события. Внизу, в подземелье, крыс по имени Роскуро метался по своей норе, вынашивая планы мести, — он хотел отомстить принцессе Горошинке за тот взгляд, которым она проводила его из банкетного зала. А наверху мышонок Десперо, завороженный звуками музыки, познакомился с принцессой. И влюбился в неё без памяти.

Как думаешь, читатель, у этих событий будут какие-нибудь последствия? А то!

Начнём с того, что неспособность Миггери Соу сделать хоть что-то мало-мальски хорошо заставила Начальницу всех служанок отправить её на кухню, поскольку Главная повариха славилась тем, что у неё ни ленивый, ни безрукий от работы не отвертится. Однако на кухне Мигг умудрилась уронить яичную скорлупу в уже готовое тесто для торта, вымыть пол растительным маслом вместо специального чистящего средства и чихнуть на пожаренную для короля свиную отбивную, когда её уже поставили на поднос, чтобы нести в покои короля.

— Уж сколько я повидала на своём веку ленивых и безруких, но хуже тебя ещё не бывало! — орала толстуха Повариха, чтобы Миггери Соу расслышала её слова. — Глухая тетеря с ушами-кочерыжками! Тебе одна дорога — в подземелье.

— Чё?

Силясь расслышать Повариху, Мигг приложила руку к уху.

– Немедленно отправляйся в подземелье. Тюремщику обед отнесёшь. Отныне это и будет твоей работой.

Читатель, ты уже знаешь, что мышиное племя, обитавшее в королевском замке, страсть как боялось подземелья. А люди боялись подземелья ещё больше. К тому же – как бы ни старались они изгнать это ужасное место из своих мыслей и памяти – оно постоянно о себе напоминало. В жаркие летние месяцы из подземелья поднималась страшная вонь, она растекалась по всему замку и пропитывала каждый кирпичик и половицу. Ну а стылыми зимними ночами оттуда доносился то жуткий, то жалобный вой, точно сам замок стенал и жаловался на свою судьбу.

– Это ветер воет, – успокаивали друг друга жители замка. – Просто ветер.

Многим служанкам доводилось носить еду тюремщику, и все они возвращались из подземелья белые как полотно. От пережитого страха у них зуб на зуб не попадал, и твердили они только одно: «Никогда ни за что больше туда не спущусь!» Что ещё страшнее, ходили слухи, будто многие служанки, которых послали отнести тюремщику еду, не возвратились из подземелья вовсе: спустились вниз по лестнице да и канули там на веки вечные.

Как думаешь, не пропадёт ли там и наша Мигг?

Надеюсь, что нет. Как же нам историю-то рассказывать, если в ней не будет Миггери Соу?

– Эй, ты! Тупая башка с кочерыжками! – крикнула ей Повариха. – Берёшь этот поднос, спускаешься по лестнице, отдаёшь еду старику, дожидаешься, пока он поест, забираешь поднос и приносишь наверх, сюда. Хоть с таким делом справишься?

– Да чё тут не справиться? – отозвалась Мигг. – Я отдам старику поднос, он съест, чё на подносе, а я потом поднос сюда принесу. Пустой уже будет, да? Значится, я снизу, из подвала этого, несу вам пустой поднос.

– Правильно, – кивнула Повариха. – Проще пареной репы. Но ты, конечно, всё равно найдёшь способ всё перепутать.

– Чё? – спросила Мигг.

– Ничего. В добрый путь. Удачи тебе.

Повариха провожала девочку взглядом, пока та спускалась по ведущей в подземелье лестнице, той самой, по которой накануне кубарем скатился вниз мышонок Десперо. В отличие от него Мигг не оказалась в кромешной тьме, поскольку Повариха предусмотрительно поставила на поднос не только еду, но и зажжённую свечку, и её маленькое неверное пламя пусть слабо, но освещало дорогу. В какой-то момент Мигг остановилась, оглянулась и улыбнулась Поварихе.

– Дурочка ты, дурочка! – вздохнула Повариха. – Никчёмная неумёха с ушами-кочерыжками. Что же станется с тобой, если ты идёшь в подземелье с улыбкой на лице?

Читатель, ты тоже хочешь узнать, что станется с Миггери Соу? Читай следующую главу.

Глава тридцать первая

Песня во тьме

Вонища, стоявшая в подземелье, нисколько не беспокоила Мигг по одной простой причине: пытаясь дать ей в ухо, Дядя иногда ошибался и попадал по носу. Даже не иногда, а частенько. В итоге девочка потеряла не только слух, но и нюх и теперь была не способна различить запах отчаянья, страдания и безнадёжности, царивший в подземелье. Она весело, чуть ли не вприпрыжку, спускалась по винтовой лестнице и беседовала сама с собой.

– Ух ты! Темно-то как! – громко восклицала она. – Конечно темно, Мигг, – отвечала она себе. – А вот если б я стала принцессочкой, я б сама сияла-сверкала-землю-освещала. Ни одного уголка бы тёмным не оставила.

Порассуждав таким образом, Мигг принялась напевать, и получилась у неё примерно такая песенка:

Пока я не принцессочка,
Пока я не Горошинка,
Но буду я, но буду я
Такою же хорошенькой.

Как ты понимаешь, читатель, певицей Мигг оказалась нику-дышной, к тому же, чтобы услышать собственное произведение, она не пела, а орала во всю глотку. Тем не менее подобие мелодии в этой песенке всё-таки было, и кое-кто её всё-таки услышал. Когда Мигг завернула на очередной виток бесконечной винтовой лестницы и тьма за её спиной сомкнулась вновь, от стены отде-лилась крыса с красной тряпкой на спине и ложкой на голове. Ро-скуро пробормотал:

– Да! Пой, девчонка! Именно этой песенки я всё это время и ждал!

И он устремился вслед за Миггери Соу.

Добравшись наконец донизу, Мигг прокричала в темноту:

– Эге-гей! Я Миггери Соу, можете кликать меня просто Мигг. Я вам еду принесла. Господин подземельщик! Кушать идите!

Ответа не было.

Вокруг стояла тишина, но не тихая, не умиротворяющая, а гроз-ная и гнетущая. Там и сям раздавались едва различимые, но пу-гающие звуки: тут струйки воды, точно змеи, шипя, скользили по стене; там, за тёмным углом, слышались стоны; и повсюду, спеша по своим делам, топотали крысы. Их острые когти скребли по камням и отчётливо цокали, а длинные хвосты шуршали, попадая на сухой пол, или расплёскивали вонючую кровавую жижу.

Читатель, окажись ты в подземелье вместе с Мигг, ты наверня-ка бы услышал этот приглушённый, но зловещий шумок.

И я услышала бы то же самое, случись мне оказаться в подзе-мелье рядом с тобой.

Мы с тобой наверняка бы до смерти перепугались и прижа-лись бы друг к другу тесно-тесно.

А что услышала Миггери Соу?

Верно!

Она не услышала ровным счётом ничего.

И поэтому она ничегошеньки не боялась. Ни капельки.

Мигг подняла поднос повыше, и слабое пламя свечи, колыхаясь, осветило целую гору ложек, мисок и котелков.

– Ух ты! Вот это да! Да разве ж бывает столько ложек! А котлов-то, котлов! Я в жизни столько не видала!

– В жизни случается повидать всякое! – прогремел в ответ чей-то бас. – Иногда невообразимое.

– Очень точно подмечено, – прошептал Роскуро. – Тюремщик говорит чистую правду.

– Ой! Кто это сказал? – удивилась Мигг. – Кто здесь?

Она обернулась на голос тюремщика Грегори.

Глава тридцать вторая

ОСТЕРЕГАЙСЯ КРЫС

В дрожащем пламени свечки постепенно проступил силуэт Грегори с привязанной к ноге толстенной верёвкой. Тюремщик, хромая, шёл к девочке и тянул руки к подносу с едой.

– Верно ли понял Грегори? Ты принесла тюремщику еду?

– Чё? – переспросила Мигг и сделала шажок назад.

– Давай, давай сюда. – Грегори отобрал у неё поднос и уселся на перевёрнутый котёл, лежавший чуть поодаль, в стороне от груды кухонной утвари. Кое-как пристроив поднос на коленях, тюремщик уставился на прикрытую крышкой тарелку. – Верно ли Грегори понимает, что его опять оставили без супа?

– Чё? – переспросила Мигг.

– Суп принесла? – крикнул Грегори.

– Суп есть запрещено! – крикнула Мигг в ответ.

– Вот ведь глупость какая! – Грегори вздохнул и снял крышку с тарелки. – Надо же додуматься! Лишить мир супа!

Он взял куриную ногу, засунул её целиком в рот, пожевал – и проглотил.

– Эй, там же кости! – Мигг даже опешила. – Вы забыли?

– Не забыл. Разжевал.

– Ух ты! – восхитилась Мигг. – Вы едите кости?! Прямо как зверь!

Грегори схватил ещё кусок курицы, на этот раз крыло, умял его точно так же, вместе с костями, и принялся за третий кусок. Мигг не сводила с тюремщика восхищённого взгляда. И тут ей захотелось поделиться с ним своей самой сокровенной мечтой.

– Когда-нибудь я стану принцессочкой, – искренне сказала Миггери Соу.

Услышав это признание, Кьяроскуро, не отстававший от Мигг ни на шаг, аж заплясал от радости, и его тень, огромная и пугающая, заметалась по стене, стократно увеличенная благодаря маленькой свечке.

– Грегори тебя видит, – сказал тюремщик крысиной тени.

Роскуро тут же юркнул Миггери под юбку.

– Чё? – встрепенулась Мигг. – Это вы мне?

– Нет. Не важно. Значит, ты вознамерилась стать принцессой? Что ж, глупая мечта есть у каждого. Мечтать не возбраняется. Грегори, например, мечтает жить в мире, где разрешено есть суп. Да и у крысы, что прячется тут неподалёку, тоже наверняка имеется какая-нибудь мечта.

– Ещё бы! – прошипел Роскуро. – И какая!

– Чё? – переспросила Мигг.

Но Грегори промолчал. Вместо ответа он сунул руку в карман, извлёк оттуда салфетку и смачно в неё чихнул – раз, другой, третий...

– Апчхи!!!

– Будьте здоровы! – крикнула Мигг. – Будьте здоровы! Будьте здоровы!

– Возвращайся наверх, к свету, – шепнул Грегори в салфетку и, скатав её в шарик, положил на поднос. – Спасибо, наелся. – Он протянул поднос Миггери Соу.

– Наелись? Тогда пора поднос наверх нести. Так Повариха велела. Несёшь поднос вниз, отдаёшь старику, дожидаешься, пока он поест, забираешь поднос и приносишь наверх. Я всё помню!

– А крыс остерегаться тебе велели?

– Чё?

– Крыс!

– Чё крыс?

– Держись подальше от крыс!

– Ага! Хорошо! Держись подальше от крыс!

Роскуро, по-прежнему сидевший под юбкой Миггери Соу, лишь радостно потирал лапы.

– Ничего не выйдет, старик! – шептал он. – Я ждал этого часа, и он пробил! Пора перекусить твою верёвку. Не погрызть, а перекусить надвое, и баста! Да, я отомщу, и уже совсем скоро! Расплата близка!

Глава тридцать третья

КРЫСА ЗНАЕТ МОЁ ИМЯ

Мигг поднялась по лестнице и уже собиралась открыть дверь на кухню, когда с ней заговорил Роскуро:

– Простите, можно к вам обратиться?

Девочка непонимающе завертела головой.

– Я здесь, внизу, – уточнил Роскуро.

Мигг посмотрела на пол.

– Ух ты! Крыса! Ага, чё там старик говорил? А, помню! Старик сказал: «Держись подальше от крыс».

Она чуть повернула поднос, чтобы свет свечи падал прямо на крысу. Та оказалась в красной мантии и с ложкой на голове.

– Пожалуйста, без паники, – предупредил Роскуро и, протянув лапу назад, нажал на рукоятку ложки так, что сама ложка на его голове тут же приподнялась, точно шляпа у вежливого джентльмена во время разговора с дамой.

– Ух ты! – восхищённо выдохнула Мигг. – Крыса-то воспитанная!

– Разумеется, – подтвердил Роскуро. – Как поживаете?

– У моего папани была такая тряпка. Точь-в-точь такого цвета, как у вас, господин Усатый. Он меня как раз на эту тряпку обменял.

– Вот как? – Роскуро понимающе улыбнулся. – Ребёнка на тряпку? Какая ужасная, трагическая история!

Читатель, прости, но я должна сделать в нашем повествовании небольшую паузу и сообщить тебе одно необычное и крайне важное обстоятельство. Это необычное и крайне важное обстоятельство состоит в следующем: измученные затрещинами уши Миггери Соу, с трудом различавшие человеческую речь, замечательно различали тонюсенький голос Роскуро. Да-да, её ушки-кочерыжки слышали каждое слово, которое он произносил!

– Вы хлебнули немало горя, – продолжал тем временем Роскуро. – Возможно, как раз теперь вам пора отведать величия и славы.

– Величия? – Мигг обалдела от неожиданности. – Славы?

– Во-первых, позвольте представиться, – продолжал крыс. – Меня зовут Кьяроскуро. Для друзей – просто Роскуро. А вас зовут Миггери Соу. Но, насколько я знаю, все называют вас просто Мигг. Верно?

– Ух ты! – поразилась девочка. – Крыса откуда-то моё имя знает!

– Дорогая мисс Миггери, мы знакомы так недавно, и мне не хотелось бы показаться бесцеремонным, но скажите, ведь я прав, что у вас есть... стремления?

– Чё есть? – по привычке крикнула Мигг.

– Мисс Миггери, кричать совершенно незачем. Совершенно незачем. Вы же меня слышите? И я вас прекрасно слышу. Мы замечательно подходим друг другу. По всем статьям. – Роскуро снова улыбнулся, обнажив острые желтоватые зубы. – Стремления, моя дорогая мисс Миггери, это то, что заставляет бедную девочку-служанку мечтать. Например, о том, чтобы стать принцессой.

– Ух ты! В аккурат! Именно принцессой! Я этого и хочу!

– Что ж, дорогая, есть способ, есть. Ваша мечта может осуществиться.

– Ты хочешь сказать, что я могу стать принцессой Горошинкой?

– Да, ваше высочество! – Роскуро сдёрнул ложку с головы и отвесил девочке глубокий поклон. – Да, ваше высочество принцесса Горошинка!

– Ух ты! – выдохнула Мигг.

– Позвольте рассказать вам мой замысел? Позвольте поведать, как мы воплотим в жизнь вашу мечту?

– Давай! Говори!

– Главным двигателем этого плана будет ваш покорный слуга. Для начала придётся перекусить верёвку.

Мигг так и замерла, держа в руках поднос с маленькой свечкой. Она слушала, и с каждым словом, произнесённым Роскуро, заветная мечта её жизни казалась всё досягаемее, всё реальнее. Крыс так увлёкся своей пламенной речью, а Мигг с таким упоением его слушала, что оба не заметили, что лежавшая на подносе салфетка слегка шевельнулась.

Не услышали они и мышиного писка, сперва недоверчивого, а потом гневного, которым шевелящаяся салфетка отвечала на каждый пункт дьявольского плана Роскуро. Ещё бы! Ведь этот крыс задумал отправить в подземелье саму принцессу Горошинку!

Конец третьей книги

Книга четвёртая

НАВЕРХ,
К СВЕТУ

Глава тридцать четвёртая

Убивать и живых и мёртвых

Читатель, ты ещё не забыл про нашего мышонка? Про Десперо?

«Возвращайся наверх, к свету», – шепнул ему старый тюремщик Грегори, завернул в салфетку и положил на поднос. А потом Мигг, поговорив с крысом Роскуро, вернулась с этим подносом на кухню и объявила Главной поварихе:

– Это я, Миггери Соу! Вернулась из глубокого-преглубокого подземелья!

– Вот и славно, – отозвалась толстуха. – Мы счастливы тебя видеть.

Мигг поставила поднос на разделочный стол.

– Эй, погоди, – сказала Повариха, – а посуду кто за тебя вымоет? Давай-ка пошевеливайся!

– Чё? – переспросила Миггери Соу.

– В твои обязанности входит вымыть эту посуду, – прокричала Повариха, схватила салфетку и хорошенько её вытрясла.

Десперо вывалился из салфетки и угодил в стеклянную плошку с растительным маслом. Плюх!

– Чтоб тебя! – ахнула толстуха. – Мышь! У меня на кухне! В моей плошке! В моём масле! Мигг, убей её! Сию же минуту убей!

Мигг наклонилась над плошкой, наблюдая, как мышонок медленно, но верно идёт ко дну.

– Бедняжка, – прошептала она и, сунув руку в масло, вытащила Десперо за хвостик.

Он кашлял, чихал, отфыркивался, жмурился от яркого света и едва не плакал от счастья: он спасён! Но счастье длилось недолго.

– Убей эту мышь! – орала Повариха.

– Ладно, – нехотя согласилась Мигг и отправилась за кухонным ножом.

Она продолжала держать Десперо за хвостик, но хвостик-то был тонкий, да ещё в масле. Поэтому, когда Миггери Соу потянулась за ножом и чуть ослабила хватку, Десперо выскользнул из её толстеньких пальчиков и шмякнулся об пол.

Мигг посмотрела на маленький бурый комочек, неподвижно лежавший у её ног.

– Он и сам, без меня убился, – сказала она.

– Всё равно убей! – твердила толстуха. – У меня для мышей один приговор: убивать. И живых и мёртвых. Всех подряд. Только так можно надеяться, что мышь будет мертва и не сгрызёт у меня никаких продуктов.

– Ух ты! Ясный приговор. Убивать и живых и мёртвых.

– Ну ты, кочерыжка ушастая! Пошевеливайся! – завопила Повариха.

Десперо чуть приподнял голову.

Сквозь огромное окно в кухню проникали лучи предзакатного солнца. Но мышонок не успел полюбоваться светом – его затмило огромное лицо. Миггери Соу склонилась над ним низко-низко и, жарко дыша через полуоткрытый рот, принялась тщательно рассматривать.

– Мышенька, что ж ты не убегаешь? – прошептала она.

Десперо смотрел в её маленькие, полные жалости глазки, но тут вдруг что-то сверкнуло, и воздух прорезало что-то острое, металлическое... Мигг медленно, сколь возможно медленно опускала нож-тесак, и он всё приближался, приближался...

Десперо пронзила резкая боль – где-то сзади, совсем сзади. Он вскочил и побежал. Вполне профессионально, по-мышиному. Сперва вправо, потом влево. Петлял.

– Ух ты! – воскликнула Миггери Соу. – Промазала.

– Чего от тебя ещё ждать? – вздохнула Повариха, следя взглядом за мышонком, который как раз юркнул в щель под дверью кладовки.

– Но хвостик-то я отрубила! – Мигг подобрала хвост Десперо и гордо продемонстрировала его Поварихе.

– И что с того? – возмущённо завопила толстуха. – Какая мне радость от этого хвоста, если вся остальная мышь уже грызёт мои продукты?

– Не знаю, – честно ответила Мигг и съёжилась, потому что Повариха подступала с явным намерением дать ей в ухо. – Я не знаю.

Глава тридцать пятая

РЫЦАРЬ В СИЯЮЩИХ ДОСПЕХАХ

Десперо тоже размышлял о своём хвосте. Если Повариха не знала, что делать с его хвостом, то ему надо было понять, как теперь жить без хвоста. Десперо сидел на куле с мукой на самой верхней полке кладовки и плакал.

Боль на месте отрубленного хвоста была нестерпимой, и он плакал от боли. А ещё он плакал от счастья. Он выбрался из подземелья! Он вернулся назад, к жизни и свету! Спасение пришло очень вовремя, потому что теперь ему надо помочь Горошинке, надо оградить принцессу от ужасной участи, которую уготовил для неё этот ужасный крыс.

Так что Десперо плакал от счастья, боли и благодарности. А ещё от усталости, отчаяния и надежды. Он плакал от всего разом – от всех чувств, которые могут нахлынуть на маленького мышонка, которого сперва осудили на смерть, а потом чудесным образом от неё избавили, чтобы сам он мог спасти от напастей свою возлюбленную.

Короче, читатель, Десперо плакал.

А наплакавшись, так и заснул на куле с мукой. На улице тем временем закатилось солнце, стемнело, и на небо одна за другой

высыпали звёзды. Потом звёзды снова уступили место солнцу, а Десперо всё спал и спал. И ему снился сон.

Ему снились высокие разноцветные окна-витражи и мрак подземелья. Свет в его сне ожил, сияющий, всепобеждающий, и превратился в рыцаря с мечом. И рыцарь сражался с мраком.

Мрак тоже принимал разные обличья. Сначала он был похож на маму и говорил непонятные французские слова. А потом он превратился в папу и стал бить в барабан. После он стал братцем Ферло в чёрном капюшоне и говорил «нет» на любые просьбы и мольбы. В конце концов мрак превратился в огромную крысу и начал ухмыляться – угрожающе и зловеще.

– Мрак! – в ужасе восклицал Десперо, глядя влево.

– Свет! – с надеждой восклицал он, глядя вправо.

Потом он воззвал к рыцарю:

– Кто ты? Ты спасёшь меня?

Но рыцарь не ответил.

– Кто же ты? Скажи! – снова попросил мышонок.

Рыцарь перестал размахивать мечом и посмотрел на Десперо.

– Ты хорошо меня знаешь, – уверенно произнёс он.

– Разве? – удивился Десперо. – Откуда?

– Знаешь, – повторил рыцарь.

Он медленно снял с головы шлем, и под ним... не оказалось ничего. Сияющие доспехи были пусты.

– Неужели никакого рыцаря нет? – Десперо был очень огорчён. – Выходит, всё это выдумки? Выходит, прекрасной принцессе не с кем жить-поживать и добра наживать?

Читатель, знаешь, что сделал мышонок Десперо? Он опять заплакал. Прямо во сне.

Глава тридцать шестая

ЧТО ПРИНЕСЛА С СОБОЙ МИГГ

ока мышонок спал, Роскуро начал приводить свой ужасный замысел в действие. Хочешь узнать, как он это сделал, читатель? Что ж, слушай. История получилась довольно некрасивая. Гнусная история. И жестокая. Но послушать такую историю очень даже полезно. Ты ведь достаточно пожил на свете и знаешь, что в жизни тоже не всегда всё происходит гладко. Поэтому слушай.

Вот как это случилось. Для начала крыс Роскуро довершил дело, которое начал когда-то давным-давно. Он перегрыз верёвку Грегори. Перегрыз начисто, так что тюремщик мгновенно заплутал в подземном лабиринте. А поздно вечером, когда весь замок погрузился во тьму, по золотой лестнице в покои принцессы прокралась Миггери Соу.

В руке у неё была свечка. А в карманах фартука имелось ещё кое-что, и это кое-что не сулило ничего приятного. В правом кармане Миггери Соу сидела крыса, вернее, крыс в красной мантии на плечах и с ложкой на голове. Роскуро спрятался в карман на случай, если Мигг повстречает кого-нибудь по пути к принцессе. В левом кармане её фартука лежал огромный нож-тесак, тот самый, которым она отрубила хвост известному тебе мышонку.

Свечку, крысу и нож – вот что несла с собой в покои принцессы Миггери Соу. И она уже поднималась по лестнице.

– Ух ты! – крикнула она Роскуро. – Темнотища-то какая!

– Да, да, – прошептал он в ответ. – Хоть глаз выколи.

– Когда я буду принцессой... – громогласно начала Мигг.

– Тсс, – оборвал её Роскуро. – Могу я попросить вас об одолжении? Держите пока ваши блистательные планы на будущее при себе, хорошо? А ещё, если вас не затруднит, перестаньте орать. Будьте так любезны перейти на шёпот. В конце концов, мы прибыли сюда по весьма секретному делу. Вы умеете шептать, милая?

– Умею! – радостно гаркнула Миггери Соу.

– В таком случае, умоляю, немедленно начните применять это умение на практике.

– Ух ты, говорит-то как! – восхитилась Мигг. – Ладно, буду потише.

– Премного благодарен, – сказал Роскуро. – Нам надо ещё раз повторить план действий?

– Так я ж всё запомнила! – громким шёпотом ответила Мигг. – У меня всё туточки, в голове. – И она постучала пальцем по виску.

– Это обнадёживает, – ответил Роскуро и добавил: – Но всё-таки, дорогая, думаю, стоит повторить всё шаг за шагом. Разочек. Чтобы избежать срывов.

– Значит, так... – раздумчиво начала Мигг, – заходим мы в спальню к принцессочке, а она там спит-сопит-храпит, и тут я бужу её, показываю ей нож и говорю: мол, хочешь в живых остаться – пойдём со мной.

– Но вы её не тронете, – вставил Роскуро.

– Не трону, – согласилась Мигг. – Потому что я сделаю её своей фрейлиной, когда сама стану принцессочкой.

– Совершенно верно. Вы – из грязи в князи, а она – в обратном направлении. И всё – по мановению волшебной палочки!

– Ух ты! По мановению! – восхитилась Мигг.

Ей так понравилась эта фраза, что она стала повторять её про себя и вслух на все лады, пока Роскуро не спросил:

– А дальше-то что?

– А дальше я велю ей вылезать из кровати и отправляться со мной. В небольшое путешествие.

– Ха! Именно! В небольшое путешествие. Как таинственно это звучит! Какая удивительная недоговорённость сквозит в этих словах. В небольшое путешествие. Вот уж воистину!

– А потом, – продолжала Мигг с воодушевлением, поскольку добралась до самой заветной части их хитроумного замысла, – мы отводим её на самое дно подземелья. Там её ждёт много длинных уроков, потому что мы станем учить её быть послушной служанкой. А она мне даст короткий урочек, как быть принцессочкой. И как только мы всему научимся, мы с ней меняемся местами. Она становится служанкой, а я – принцессочкой. Ух ты, здорово! – в который раз восхитилась Мигг такому повороту событий.

Что ж, читатель, Миггери Соу довольно точно изложила тот самый план, которым соблазнил её Роскуро во время их первой встречи. Разумеется, план этот был совершенно нелепым.

Ну кто, скажи на милость, принял бы Мигг за принцессу, а принцессу – за Мигг, пусть даже на мгновение? Однако, как я уже говорила, Миггери Соу большой сообразительностью не отличалась. К тому же ты ведь помнишь, читатель, как сильно мечтала эта девочка стать принцессой? Господи, да она только одной этой мечтой и жила! Оттого-то она так легко и поверила, что предложенный Роскуро нелепый, бредовый план можно осуществить. Она поверила в это всем сердцем, понимаешь?

На самом же деле у Роскуро был другой план, куда более простой и ужасный. Он действительно намеревался отвести принцессу в самые чёрные и страшные глубины подземелья. Там Мигг по его приказу должна была заковать её в кандалы и оставить. Оставить светлую, сияющую принцессу с её серебристым, как колокольчик, смехом в чёрной тьме.

Навсегда.

Глава тридцать седьмая

Попробуй

Она спала, и ей снилась мама, королева. Мама протягивала ей ложку и говорила:

– Попробуй, моя хорошая, попробуй, Горошинка, и скажи: вкусно или нет.

Принцесса наклонилась вперёд и отпила немного супа из протянутой мамой ложки.

– Мамочка! – воскликнула она. – Как вкусно! Я такого супа никогда не пробовала!

– Верно, – согласилась мама. – Замечательный суп.

– А можно ещё? – спросила Горошинка.

– Я дала тебе попробовать, чтобы ты никогда не забывала этот вкус, – сказала мама. – Запомни этот вкус навсегда.

– Я хочу ещё!

Но едва принцесса произнесла эти слова, мама куда-то исчезла. И тарелка с ложкой исчезли вместе с ней.

– Неужели снова расставаться? – огорчилась Горошинка. – Неужели опять утрата?

Но тут она вдруг услышала своё имя. Принцесса радостно обернулась, надеясь, что снова появилась мама. Но голос был не мамин. Он принадлежал кому-то другому, шёл откуда-то издалека и велел ей просыпаться. Просыпайся! Просыпайся!

Принцесса открыла глаза. У её постели стояла Миггери Соу. В одной руке у неё был нож, а в другой – свеча. Горошинка удивилась.

– Мигг?

– Ух ты! – шёпотом воскликнула Мигг.

– Говорите! – скомандовал Роскуро из кармана фартука.

Мигг зажмурилась и заученно протараторила:

– Если хочешь остаться в живых, принцессочка, пойдём со мной.

– Это ещё зачем? – возмутилась Горошинка, которая вовсе не привыкла слушаться кого попало. – Ты что выдумала?

Мигг перестала жмуриться и прокричала:

– Ты пойдёшь со мной, и внизу, в подземелье, у нас будут уроки – у тебя много длинных, а у меня немножко коротких. А потом ты станешь мной, а я – тобой.

– Нет!!! – завопил Роскуро из кармана. – Нет! Всё неправильно! Всё не так!

– Чей это голос? – вскинулась принцесса.

– Мой, ваше высочество! – Роскуро выполз из кармана фартука и устроился на плече Мигг, обвив её шею хвостом, чтобы не свалиться. – Ваше высочество! – повторил он, снял ложку с головы и осклабился, обнажив оба ряда мерзких, хищных зубов. – Думаю, вам следует сделать так, как предлагает Миггери Соу. Как вы сами видите, в руках у неё нож, пребольшой и преострый. И она может пустить его в ход. По моей команде.

– Что за бред! – фыркнула Горошинка. – Вы не смеете мне угрожать. Я принцесса.

– Нам-то это отлично известно. Зато ножику совершенно всё равно, что вы – особа королевской крови. И кровь из вас польётся совершенно такая же, как из любого другого человека.

Горошинка посмотрела на Мигг. Мигг улыбнулась. Нож сверкнул отражённым от пламени светом.

– Мигг? – окликнула девочку принцесса, и голос её чуть дрогнул.

– Кстати, – добавил Роскуро, – не думаю, что мне придётся долго уговаривать Мигг сделать этим ножиком *чик-чик*. Мигг очень опасный человек, принцесса. И ей очень легко внушить всё что угодно.

– Но мы с ней друзья! Правда, Мигг?

– Чё?

– Поверьте, принцесса, вы с ней – не друзья, – твёрдо сказал Роскуро. – И полагаю, будет лучше, если вы станете вести переговоры исключительно со мной, ибо главный здесь – я. Посмотрите же на меня!

Горошинка в упор посмотрела на Роскуро, сидевшего на плече Мигг с ложкой на голове. Сердце её ёкнуло.

– Вы видели меня раньше, принцесса?

– Нет. – Горошинка опустила глаза. – Я тебя не знаю.

Читатель, ты ведь понял, что она его узнала? Она поняла, что это та самая крыса, которая свалилась с люстры в мамин суп. И на голове его красовалась мамина ложка! Принцесса отвела взгляд, стараясь сдержать накативший на неё гнев.

– Смотрите внимательнее, принцесса! Или я так противен? Неужели у особ королевской крови столь тонкие чувства, что они не в силах смотреть на крыс?

– Я тебя не знаю, – повторила Горошинка. – А смотреть на тебя я вовсе не боюсь. – Она медленно подняла голову и с вызовом поглядела на Роскуро.

– Отлично, – сказал крыс. – Пусть будет по-вашему. Вы меня не знаете. Тем не менее вам стоит подчиниться моим требованиям, поскольку у моей подружки... да-да, у этой самой... имеется нож. Вылезайте из кровати, принцесса. Нам предстоит небольшое путешествие. Прошу вас одеться в то платье, в котором вы недавно были на банкете. Оно мне очень понравилось.

– И корону наденьте, – добавила Мигг. – У принцессочки непременно должна быть корона на голове.

– Да-да, верно, – подтвердил Роскуро. – Не забудьте корону, принцесса.

Не сводя глаз с Роскуро, Горошинка откинула одеяло и слезла с кровати.

– Побыстрее, – потребовал крыс. – Наше небольшое путешествие должно произойти сейчас, до рассвета, пока все в замке спят крепким сном. Они даже не ведают, даже не подозревают, какая участь постигла их принцессу.

Горошинка достала из шкафа платье.

– Оно! – Роскуро довольно кивнул и сказал сам себе: – Это то самое платье. Так и сияет, так и переливается. Просто чудо!

– Тут много пуговиц на спине, – сказала Горошинка. – Мне самой не справиться. Мигг должна мне помочь.

– Принцесса, неужели вы решили, будто сможете перехитрить крысу? Наша дорогая Миггери Соу ни за что не выпустит из рук нож. Ни на мгновение. Правда, Мигг? Вы не выпустите из рук нож, потому что иначе вам не стать принцессой. Понимаете?

– Ух ты! – воскликнула Мигг. – А я и не подумала.

Так и вышло, что Мигг осталась стоять в ножом в руках, а Горошинка была вынуждена присесть и позволить Роскуро ползать по своей спине, застегивая пуговицы.

Принцесса сидела совершенно неподвижно, лишь облизывала губы, поскольку ей казалось, что на них сохранился солоноватый и в то же время сладостный вкус супа, которым мама кормила её во сне.

– Я не забыла этот вкус, мама, – прошептала Горошинка. – Я не забыла тебя. Я не забыла наш суп.

Глава тридцать восьмая

ДОРОГА ВНИЗ

По парадной золотой лестнице замка спускалась странная процессия: Горошинка и Миггери Соу шли рядышком, причём в спину принцессы то и дело тыкался нож, который Мигг так и не выпустила из рук. Роскуро же снова спрятался в кармане её фартука. И эта троица спускалась всё ниже, ниже, ниже.

Принцессу вели на верную гибель, а замок меж тем спал крепким сном. Король спал в своей огромной кровати, скрестив руки на груди и позабыв снять с головы корону, и ему снилось, что его жена, королева, превратилась в птичку с жёлто-зелёными пёрышками и неумолчно высвистывает его имя: *Филипп, Филипп, Филипп.*

Толстая Повариха спала в тесной для её необъятных телес кровати возле кухни, и ей снилось, что она потеряла рецепт супа и никак не может его найти. «Куда же я его задевала? – бормотала она во сне. – Где он может быть? Ведь это рецепт любимого супа королевы! Его надо срочно найти».

А неподалёку от Поварихи, в кладовке, на куле с мукой спал мышонок Десперо, и ему, как ты, читатель, уже знаешь, снились рыцари в сияющих доспехах, снились тьма и свет.

Во всём мирно спавшем замке горела одна-единственная свечка. Её держала в руке Миггери Соу, и пламя освещало платье принцессы, и блёстки на нём сверкали, точно звёзды. Принцесса шла твёрдым шагом и старалась ничего не бояться.

Читатель, мы уже поговорили с тобой о том, что было на сердце у мышонка Десперо, у крыса Роскуро и у служанки Миггери Соу. Но мы пока ничего не знаем про сердце принцессы Горошинки. Как в любом человеческом сердце, там нашлось место самым разным чувствам, и светлым и тёмным. В самом тёмном и укромном уголке этого сердца пылал уголёк ненависти. Горошинка ненавидела Роскуро, из-за которого погибла её мама. А в другом тёмном уголке таилась глубокая печаль: ведь мама умерла и теперь принцесса могла говорить с ней только во сне.

Ты спросишь, что же светлого было в сердце принцессы? К счастью – и мне очень приятно сообщить тебе об этом, – Горошинка была доброй девочкой, и, что ещё важнее, она умела сопереживать ближнему. Ты понимаешь, что значит *сопереживать*?

Попробую объяснить. Вот, например: тебя ведут в подземелье против твоей воли. Тебе в спину то и дело тычут огромным ножом. Ты изо всех сил стараешься сохранить присутствие духа. И всё-таки в эту тяжёлую минуту ты можешь думать о том человеке, который держит нож у твоей спины.

Ты думаешь: «Бедная Мигг. Ей очень хочется оказаться на моём месте, и она полагает, что из этой ужасной затеи что-то получится. Как же сильно она, должно быть, мечтает стать принцессой!»

Если ты способен так думать, читатель, значит, ты умеешь сопереживать.

152

Ну вот, теперь сердце принцессы у тебя как на ладони: тут ненависть, там печаль, тут доброта, там сопереживание. Вот такое сердечко билось в груди принцессы, спускавшейся со служанкой и крысой по золотой лестнице королевского замка – сперва в кухню, а оттуда ещё ниже, в самые глубины подземелья. Небо меж тем начинало потихоньку светлеть.

Глава тридцать девятая

Пропала!

Солнце встало и пролило свет на всё, содеянное Роскуро и Миггери Соу.

Наконец проснулся и Десперо. Но – увы! – проснулся он слишком поздно.

– Да не видела я её! – вопила Луиза. – И вообще, баба с возу, кобыле легче. Пропала – и слава богу! Туда и дорога!

Десперо резко сел. Огляделся. Ой, да у него же хвоста нет! Отрубили! Откромсали! Оставили жалкий обрубок со сгустками запёкшейся крови.

– Это настоящее преступление! – отчаянно причитала Повариха. – Это ж надо! Грегори умер. Кто-то перерезал его верёвку, и бедняга заплутал в этой кромешной тьме! Напугался небось до смерти и преставился. Напасти так и сыплются на наши головы!

Не может быть!

Неужели Грегори умер?

Совершенно потрясённый Десперо поднялся и стал осторожно спускаться с верхней полки. Оказавшись на полу, он тут же высунул голову из-за двери кладовки и заглянул на кухню.

Там, посреди кухни, горестно заламывая руки, причитала толстая Повариха. Рядом с ней стояла Начальница всех служанок Луиза – высокая женщина со связкой ключей. Она беспрестанно ими звякала.

– Это чистая правда! – вторила Поварихе Луиза. – Вся королевская рать отправилась искать её в подземелье. Но вернулись они без неё. Зато принесли – кого бы ты думала? Да! Старого тюремщика! Мёртвого! А теперь ты говоришь, что Мигг тоже исчезла. Впрочем, о ней я плакать не буду.

От отчаяния Десперо чуть не пискнул вслух. Он всё проспал! Крыс его опередил. Принцесса исчезла.

– Да что ж это такое делается, мисс Луиза! – причитала Повариха. – Куда катится мир, если принцесс теперь крадут прямо у нас из-под носа, королевы помирают прямо за обедом, а мы не можем даже порадовать себя добрым наваристым супчиком! – Повариха захлюпала носом.

– Тсс! – шикнула на неё Луиза. – Не произноси это слово!

– Ещё чего?! – возмутилась Повариха. – Суп!!! Я буду говорить это слово, и никто мне не запретит! Суп! Суп! Суп! – И тут она наконец расплакалась – безутешно, навзрыд.

– Ну ладно, не печалься так! Не реви!

Луиза попыталась было погладить Повариху по плечу, но та оттолкнула её руку.

– Всё будет хорошо, – беспомощно произнесла Луиза.

Повариха отёрла слёзы краем фартука.

– Ничего не будет хорошо, – сказала она. – Никогда. Потому что у нас больше нет нашей чудной девочки. Мне в этом дворце без принцессы делать нечего.

Десперо был потрясён: эта свирепая тётка, эта мышененавистница чувствует ровно то же самое, что чувствует он сам!

Луиза снова потянулась к Поварихе с утешениями, и на сей раз Повариха не отстранилась, а даже позволила приобнять себя за плечи.

– Как нам жить-то теперь? – причитала Повариха. – Как жить?

А Луиза только повторяла:

– Ну, не плачь, только не плачь...

Десперо же горевал в одиночку, и утешить его было некому. Впрочем, горевать тоже не было времени. Надо действовать! Во-первых, надо найти короля.

Читатель, ты ведь помнишь, что Десперо удалось подслушать план Роскуро. Поэтому он знал, что принцессу наверняка увели в подземелье. Поскольку Десперо был поумнее Миггери Соу, он не принял слова Роскуро про уроки за чистую монету. Нет, он подозревал страшную правду. Никто не позволит Мигг стать принцессой. А Роскуро, залучив настоящую принцессу в свои сети, уже не отпустит её. Никогда.

Десперо – маленький, извалянный в муке, скользкий от масла бесхвостый мышонок – оставил рыдающих женщин и незаметно выбрался из кухни.

Он отправился искать короля.

Глава сороковая

ПРОЩЕНИЕ

Сначала Десперо сходил в Тронный зал, но короля там не оказалось, и, юркнув под плинтус, мышонок устремился в спальню принцессы. По дороге он наткнулся на заседание Мышиного совета: тринадцать Почтенных мышей и один Самый Главный Достопочтенный Мышан сидели под Тронным залом вокруг своей неизменной доски и обсуждали важные государственные вопросы.

Десперо замер.

— Почтенные коллеги, — начал Достопочтенный Мышан и вдруг, оторвав взгляд от самодельного стола, увидел случайного гостя. — Десперо... — прошептал он.

Остальные члены Мышиного совета навострили уши, но так и не расслышали, что пробормотал Достопочтенный Мышан себе под нос.

— Простите? — сказал один.

— Извините? — сказал другой.

— Будьте любезны повторить, — сказал третий. — Мне послышалось, что вы произнесли имя Десперо?

Достопочтенный Мышан всё силился оправиться от неожиданности. Наконец он заговорил:

– Почтенные коллеги! Там при... приви... видение.

И он ткнул трясущейся лапкой в сторону Десперо.

Мыши разом повернулись.

Перед ними стоял вывалянный в муке Десперо Тиллинг, и на шее у него, точно кровавый след, болталась петля из знакомой всем мышам красной нити.

– Десперо! Сынок! – воскликнул Лестер. – Ты вернулся?!

Десперо взглянул на отца. Совсем старик... вся шерсть с проседью... Когда он успел так постареть? Ведь Десперо не было всего несколько дней! А отец выглядит, точно прошло несколько лет.

– Сынок! Это призрак моего сына! – восклицал Лестер, и его усики подрагивали. – Ты снишься мне каждую ночь! И мне каждую ночь снится, как я бью в барабан и посылаю тебя на смерть. Я был не прав, сынок! Я совершил непоправимую ошибку.

– Нет! – крикнул Достопочтенный Мышан. – Молчите!

– Но, знаешь, я его уничтожил, – продолжал Лестер. – Я уничтожил свой барабан. Ты простишь меня? – Он смотрел на сына и умоляюще прижимал лапы к груди.

– Нет же! – снова крикнул Достопочтенный Мышан. – Не просите прощения у призрака, Лестер! Вы поступили так, как того требовал долг. Долг перед мышиным сообществом.

Но Лестер не слушал Достопочтенного Мышана.

– Сынок! Прости меня! – твердил он.

Десперо смотрел на папу, на его седую шёрстку, дрожащие усики, сцепленные у сердца лапки и чувствовал, что его собственное сердце вот-вот разорвётся. Папа такой маленький, такой грустный...

– Прости меня, сынок, – повторял Лестер.

Читатель, мне думается, что прощение – тоже очень могущественная сила. И чудесная. Как надежда и любовь.

Ну и нелепая, конечно.

Ну, разве можно надеяться, что сын простит отца, который бил в барабан, посылая его на смерть. Разве предательство прощают? Какая нелепость!

Тем не менее Десперо Тиллинг ответил отцу буквально следующее:

– Я прощаю тебя, папа.

Он произнёс эти слова, так как почувствовал, что это единственный способ спасти своё сердце. Иначе оно и вправду бы разорвалось.

А потом он повернулся и обратился ко всем членам Мышиного совета.

– Вы были не правы, – сказал он. – Вы все были не правы. Вы требовали, чтобы я покаялся в своих деяниях. Теперь кайтесь вы. Отрекитесь от зла, которое вы со мной сотворили.

– Ни за что! – воскликнул Достопочтенный Мышан.

Стоя перед Мышиным советом, Десперо вдруг понял, что он очень переменился. Он совсем не тот мышонок, который стоял перед ними в прошлый раз. С тех пор он побывал в подземелье и снова выбрался к свету. Он успел узнать много такого, чего эти мыши не узнают никогда. И в сущности, совершенно не важно, что они думают о нём, мышонке Десперо.

Он развернулся и молча, без единого слова, покинул заседание Мышиного совета.

После его ухода Самый Главный Достопочтенный Мышан стукнул трясущимся кулачком по доске.

– Почтенные коллеги, – произнёс он. – Нас посетил призрак, и этот призрак велел нам покаяться и отречься от нашего решения. Давайте проголосуем. Пусть скажут «да» все, кто считает, что этого визита не было.

И все члены Мышиного совета сказали «да», тихонько, но вполне отчетливо.

Промолчал только Лестер. Отец Десперо Тиллинга промолчал. А ещё он отвернулся от остальных мышей, чтобы они не заметили его слёз.

Знаешь, почему он плакал, читатель? Потому что получил прощение.

Глава сорок первая

СЛЁЗЫ КОРОЛЯ

Десперо застал короля в покоях принцессы Горошинки: он сидел на кровати дочери, прижимая к груди кусок ткани с вышивкой. Историю её мира... Король плакал. Нет, это слишком слабо сказано. На самом деле король рыдал. Слёзы градом катились по его щекам и уже образовали у его ног целую лужу. Я ничуть не преувеличиваю. Король, судя по всему, вознамерился выплакать себя без остатка и превратиться в речку.

Читатель, ты когда-нибудь видел рыдающего короля? Понимаешь, когда сильные мира сего вдруг становятся слабыми, когда выясняется, что они самые обыкновенные люди и у них тоже есть сердце, это умаляет их величие в глазах окружающих. И окружающие приходят в ужас.

Десперо был в ужасе, уверяю тебя. Но всё-таки он заговорил с королём.

— Господин король! — окликнул Десперо.

Но король его не услышал. Он выронил вышивку и, взяв в руки огромную золотую корону, принялся бить себя в грудь — да-да, прямо этой короной, снова и снова! Как я уже отмечала, у короля Филиппа было несколько недостатков. Ты ведь помнишь, что он был близорук? Ты ведь уже знаешь, что он издавал нелепые, ни с чем не сообразные указы и законы, которые людям было очень трудно исполнять? А ещё... он был не очень-то умным. Почти как Миггери Соу.

Но, несмотря на все эти недостатки, у короля было одно замечательное, чудесное, восхитительное свойство. Он хотел и умел любить. Очень сильно. Всем сердцем. Именно так, всем сердцем, он любил королеву. И так же, всем сердцем, он любил свою дочь. Может, даже чуточку сильнее. Он любил принцессу Горошинку не просто всем сердцем, а каждой клеткой своего организма. И сейчас у него отняли самое любимое...

Десперо видел отчаянье короля. Но он всё-таки пришёл по делу. Он непременно должен сказать королю что-то очень важное. И он снова окликнул:

– Простите...

Ответа по-прежнему не было. Десперо толком не знал, как правильно обращаться к королю, если ты – мышонок. Слово *господин* звучало слишком просто, неподобающе просто. Он призадумался.

А потом наконец откашлялся и произнёс так громко, как только мог:

– Простите!

Перестав колотить короной в грудь, король Филипп оглядел комнату.

– Самый Высокочтимый Главный Человек! Я здесь, внизу! – уточнил Десперо.

Король перевёл взгляд на пол и прищурил глаза, из которых всё ещё лились слёзы.

– Ты жучок? – спросил он.

– Нет, я мышонок, – ответил Десперо. – Мы с вами уже встречались.

– Мышь?! – взревел король. – Ты же родственник крысы!

– Господин Самый Высокочтимый Главный Человек! Вы должны меня выслушать. Это очень важно. Я знаю, где ваша дочь.

– Правда? – Король шмыгнул носом и высморкался прямо в свою королевскую мантию. – И где же она?

Король наклонился, чтобы получше разглядеть Десперо, и на макушку мышонку капнула слеза... вторая... третья. Три огромные слезищи покатились по его спине, смывая муку. Он снова обрёл свою привычную бурую окраску.

– Господин Самый Высокочтимый Главный Человек! – произнёс Десперо, отряхиваясь от королевских слёз. – Она в подземелье.

– Врёшь! – сказал король и расправил плечи. – Я так и знал. Все грызуны – вруны и мошенники. В подземелье её нет. Я посылал туда всю королевскую рать.

– Подземелье так просто не обыскать. По-настоящему его знают только крысы. Там тысячи потайных мест, куда они могли её запрятать. Принцессу не найдёт никакая рать, если сами крысы не захотят прийти нам на подмогу.

– Чёрт побери! – Король зажал уши руками. – Не смей говорить мне о крысах! Просить помощи у крыс? Ещё чего выдумал! – Король был в бешенстве. – Крысы вне закона! Я их запретил! В моём королевстве их нет! Они не существуют.

– Это не так, господин Самый Высокочтимый Главный Человек! В подземелье под вашим замком живут сотни крыс. Одна из них похитила вашу дочь, и если вы не пошлёте туда...

Король принялся напевать, нарочито не слушая Десперо. А потом вдруг заорал:

– Я тебя не слышу! Не слушаю и не слышу! Всё равно ты говоришь неправду, потому что ты грызун, а все грызуны – вруны. – Он снова замурлыкал какую-то мелодию, а потом снова прервался и сказал: – Я нанял гадалок. Я вызвал прорицателя. Они скоро прибудут из дальних стран и скажут, где моя доченька. Они скажут мне правду. А мыши не умеют говорить правду.

– Я говорю правду, клянусь! – горячо возразил Десперо.

Но король не хотел его слушать. Он крепко зажал уши ладонями. И запел ещё громче. Огромные слезищи катились по его лицу и шумно плюхались на пол.

Десперо смотрел на него в полном смятении. Что же теперь делать? Он нервно потёр лапкой шею, привычно уже подёргал за красную нить... и внезапно вспомнил свой сон. Нет, даже не вспомнил – сон сам нахлынул на него потоком. В нём опять была тьма, был свет, был размахивающий мечом рыцарь, и – наконец – снова наступил тот страшный миг, когда Десперо понял, что под сияющими доспехами никого нет. Пустота.

Представь, читатель: Десперо стоит перед рыдающим королём, и в голову ему приходит потрясающая, совершенно неожиданная мысль. Может, доспехи пусты неспроста? Может, они кого-то ждут?

Может, они ждут его, Десперо?

«Ты хорошо меня знаешь» – так сказал ему во сне рыцарь.

– Да, – ответил ему теперь ошеломлённый догадкой Десперо. – Я правда тебя знаю!

– Я тебя не слышу! – пропел король.

– Я пойду туда сам, – твёрдо сказал мышонок. – Я стану рыцарем в сияющих доспехах. Другого выхода нет. Рыцарем буду я.

Десперо повернулся и покинул плачущего короля. Он пошёл искать Ниточных дел мастера.

Глава сорок вторая

Остаток нити

иточных дел мастер восседал на своей катушке, помахивал хвостиком и жевал листочек сельдерея.

– Вы только посмотрите! – воскликнул он, увидев Десперо. – Нет, вы только посмотрите! Это же мышонок, влюблённый в принцессу! Вернулся из подземелья! Целёхонький! Мой предшественник, покойный Ниточных дел мастер, наверняка бы сказал, что это я сплоховал, скверно сделал свою работу, потому ты и выжил. Он бы сказал, что я слабо закрепил нить. Но это не так. Откуда мне это известно? Так вот же она, моя ниточка, – до сих пор болтается у тебя на шее.

Он довольно хмыкнул и снова принялся за сельдерей.

– Мне нужна она вся. Целиком, – сказал Десперо.

– Что целиком? Твоя шея?

– Мне нужен весь остаток нити.

– Послушай, я не вправе раздавать красную нить направо и налево, – возразил Ниточных дел мастер. – Это, знаешь ли, священная вещица. Так, во всяком случае, считается. Впрочем, поскольку я провожу с ней слишком много времени, я давно постиг её истинную сущность.

– И в чём она состоит?

– В том, что это самая обычная нить. Не больше. И не меньше. – Ниточных дел мастер пожал плечами и откусил ещё сельдерея. – Но я продолжаю притворяться, что это крайне ценная вещь. О друг мой, я притворяюсь очень умело. Кстати, для чего тебе понадобилась нить?

– Чтобы спасти принцессу.

– Ах, ну да! Прекрасная принцесса! С неё-то и начались все твои злоключения. Помню, помню...

– Я должен её спасти. Кроме меня, её спасти некому.

– Это мне знакомо. Всё неприятное приходится делать самому. А как, позволь спросить, ты используешь нитку для спасения принцессы?

– Принцессу украла крыса, вернее – крыс. Он спрятал её в подземелье. Мне непременно надо туда спуститься, а там полно поворотов, углов, тупиков...

– Короче, лабиринт, – кивнул Ниточных дел мастер.

– Именно. Лабиринт. Мне надо найти дорогу к принцессе, обязательно, где бы её ни спрятали, и вывести её обратно. Это можно сделать только с помощью нити. Так делал тюремщик Грегори: у него к ноге была привязана толстая верёвка, и он с ней ходил, чтобы не заблудиться. – Мышонок запнулся, с содроганием вспомнив, как погиб Грегори: в кромешном мраке, с перерезанной или перегрызенной верёвкой... – А я возьму вместо верёвки красную нить, – твёрдо закончил он.

Ниточных дел мастер кивнул.

– Ясно, – сказал он и задумчиво откусил ещё сельдерея. – Яснее ясного. Ты принял вызов судьбы.

– Я просто ищу принцессу.

– Тебе не дано знать, как это называется на самом деле. Ты лишь знаешь, что должен совершить невозможное, но совершенно необходимое дело.

– Невозможное? – Десперо растерялся.

– Невозможное, – подтвердил Ниточных дел мастер. – Но необходимое.

Он ещё немного пожевал сельдерей, задумчиво глядя куда-то мимо Десперо, а потом вдруг соскочил с катушки.

– Да кто я такой, чтобы стоять на пути у судьбы?! – воскликнул он. – Кати катушку куда хочешь.

– Можно взять? – Десперо всё ещё не верил.

– Забирай. Ты ведь принял вызов судьбы.

Десперо протянул передние лапки и, взявшись за край катушки, опрокинул её на круглые рёбра, как на колёса. Попробовал подтолкнуть.

– Спасибо, – сказал он, глядя в глаза Ниточных дел мастеру. – Я ведь даже не знаю вашего имени.

– Ховис.

– Спасибо, Ховис.

– Вот тебе ещё кое-что. Где нитка, там и иголка. – Ховис прошёл в угол и вернулся оттуда с иглой. – Можешь защищаться ею от врагов.

– Будет у меня вместо меча, – обрадовался Десперо. – Как у настоящего рыцаря.

– Верно. – Ниточных дел мастер отгрыз кусочек нити и закрепил новоявленный меч на поясе Десперо. – Вот так.

– Спасибо, Ховис, – снова сказал Десперо.

Поднатужившись, он упёрся плечом в катушку.

– Погоди-ка, – сказал Ховис.

Встав на задние лапки, он положил передние на плечи Десперо и приобнял его. На мышонка пахнуло пронзительно терпким сельдерейным духом. Зажав зубами красную петлю, болтавшуюся на шее Десперо, Ховис перегрыз её одним махом.

– Вот так, – удовлетворённо произнёс Ниточных дел мастер, когда нить упала на пол. – Теперь ты свободен. Помни, на этот раз тебя никто не посылает в темницу. Ты идёшь туда по своей воле.

– Да, я иду сам. Я принял вызов судьбы. – Эти слова произнеслись как-то сами собой и прозвучали естественно и приятно.

Вызов судьбы.

Повтори эти слова, читатель. Погромче. Ведь правда, в них есть что-то удивительное? Завораживающее... Они тянут тебя вперёд – к приключениям и испытаниям. В них есть надежда.

– До свидания, – сказал Ховис вслед Десперо, когда тот снова подпёр плечом катушку и покатил вперёд. – Я впервые встретил мышонка, который выбрался живым из подземелья. Да ещё вознамерился туда вернуться. До свидания, друг мой! Ты – достойнейший из всего мышиного племени.

Глава сорок третья

Что помешивала Повариха

В тот вечер Десперо успел вытащить катушку с красной нитью из норки Ниточных дел мастера, прокатить её по многочисленным ходам и переходам замка и даже стащить вниз по лестнице – на целых три пролёта.

Читатель, позволь объяснить тебе кое-что поподробнее, чтобы ты смог представить себе, какой ценой ему это далось.

Итак, домашняя мышь среднего размера весит примерно сто граммов, иногда чуть больше. Именно такие мыши и жили в королевском замке. Но Десперо, как ты знаешь, был много меньше среднего размера. Он ведь так и не вырос. На самом деле он был очень мелким мышонком и весил вполовину меньше обычной мыши, то есть около пятидесяти граммов. Только представь! Крошечный, пятидесятиграммовый мышонок катит через весь замок катушку, которая весит почти столько же, сколько он сам.

Как думаешь, читатель, много шансов у такого рыцаря достойно ответить на вызов судьбы?

Да никаких! Ноль шансов. Ноль без палочки!

У Десперо не было шансов.

И всё же... Взвешивая его шансы, не стоит забывать о его любви к принцессе. Мы с тобой уже знаем, что любовь – нелепая, чудесная и, главное, могущественная вещь. Любовь способна двигать горы. А заодно и катушки с нитками.

Десперо помогали любовь и твёрдость духа. Тем не менее, добравшись к полуночи до двери во дворцовую кухню, он страшно, неимоверно устал. Лапки его подкашивались, все мышцы нервно подёргивались, обрубок хвоста трясся мелкой дрожью. А путь-то впереди предстоял немалый: через всю кухню, потом вниз по бесконечным ступеням и уже там, в подземелье, по неведомым коридорам, по этому мрачному обиталищу крыс – незнамо куда. Как, как он найдёт там Горошинку? Читатель, если честно, едва Десперо задумывался о том, что ожидало его внизу, его охватывало полнейшее отчаянье. Отвратительное чувство.

Сейчас он прислонился лбом к катушке и тут же ощутил запах сельдерея. Он вспомнил Ховиса. Похоже, Ховис верит в него. Он верит, что Десперо недаром принял вызов судьбы. Мышонок поднял голову, расправил плечи и снова покатил катушку – прямиком на кухню, где в этот поздний час всё ещё горел свет. Жаль, что Десперо заметил это слишком поздно.

Он замер.

На кухне, возле плиты, возилась Повариха. Она помешивала стоявшее на огне варево.

Что это? Соус? Нет.

Рагу? Нет.

Повариха помешивала... суп! Да-да, суп! Представляешь, читатель? Прямо под носом у короля, в его собственном замке, она преступила изданный королём закон. Эта толстуха готовила суп!

Мышонок ошеломлённо смотрел, как она склоняет голову над кастрюлей и с наслаждением вдыхает душистый ароматный пар. Губы её растянулись в блаженной улыбке, а парок, подсвеченный горевшей сзади свечкой, образовывал вокруг её головы настоящий светящийся нимб.

Десперо прекрасно усвоил, как относится Повариха к появлению мышей на своей кухне. Он хорошо помнил, как она приказала Мигг его убить. *Убей эту мышь! У меня для мышей один приговор: убивать всех подряд.*

Но путь в подземелье лежит через кухню. Другого пути нет. И времени на раздумья тоже нет. Скоро встанет солнце, все в замке проснутся, и тогда уж он точно не сможет прокатить по кухонному полу катушку и остаться незамеченным. Так что придётся перебраться на другой конец кухни сейчас, в присутствии этой мышененавистницы Поварихи.

Десперо подсобрал остатки отваги и сил и снова покатил катушку – вперёд и вперёд, к двери в подземелье.

Повариха тут же оторвалась от кастрюли и застыла. Только капли супа капали на пол с ложки.

– Кто здесь? – громко спросила Повариха.

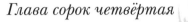

Глава сорок четвёртая

Чьи это уши?

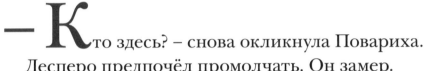

— Кто здесь? – снова окликнула Повариха.

Десперо предпочёл промолчать. Он замер.

На кухне воцарилась абсолютная тишина.

– Хм, – сказала наконец Повариха. – Никого. Должно быть, послышалось. Всё мои дурацкие уши: как разволнуюсь, они сразу слышат невесть что. И уши дурные, и сама я дура старая, дёргаюсь на любой шум! – Она снова повернулась к плите: – Просто боюсь, что застукают меня с этим супчиком.

Мышонок устало облокотился на катушку. Сердечко его колотилось, лапки дрожали, но тут произошло нечто совершенно удивительное.

Влетевший в окно ночной сквозняк заплясал над плитой и, подхватив ароматный парок, курившийся над кастрюлей, полетел дальше, в другой конец кухни, и донёс запах супа до самого носа Десперо.

Десперо поднял голову. Принюхался. Жадно втянул аромат супа в обе ноздри. Никогда в жизни не доводилось ему вдыхать столь восхитительный, неповторимый запах! Он словно пил его, и от каждого глотка становился сильнее и отважнее!

Повариха склонилась над плитой, окунула черпак в кастрюлю и вынула его полнёхоньким – с супом. Разок подув на суп, она нетерпеливо отпила с краю и проглотила...

– Хммм! – Довольно хмыкнув, она сделала второй глоток. – Чего-то не хватает. Кажется, соли.

Отложив черпак, она взяла огромную солонку с дырочками, перевернула и принялась вытряхивать соль в кастрюлю.

А оживший от запаха супа Десперо с новой силой упёрся плечом в катушку.

– Главное, идти побыстрее, – говорил он сам себе, отправляясь в путь через кухню. – И ни о чём не задумываться.

Повариха резко обернулась.

– Да кто здесь, в конце-то концов?! – возмущённо крикнула она, не выпуская из рук солонку.

Десперо снова замер. И спрятался за катушку, потому что толстуха решительно взяла в руки свечку и подняла её над головой.

– Гмм... гмм... – озадаченно хмыкала Повариха.

Неровный свет приближался.

– Что это? – ахнула она.

Свет упал на длинные уши Десперо, торчавшие из-за катушки с нитками.

– Так! Чьи это уши?

И тут свеча ещё немного сместилась и осветила Десперо целиком.

– Мышь! – возмутилась Повариха. – У меня на кухне мышь!

Десперо закрыл глаза. И стал готовиться к смерти.

Он ждал. Ждал... А потом вдруг услышал смех.

Тогда он отважился открыть глаза. И посмотреть на Повариху.

– Ха-ха-ха! – Она так и заливалась хохотом. – Это ж надо! Впервые в жизни я радуюсь, увидев на кухне мышь! Спрашивается – почему? Ха-ха! Да потому что мышь – это не королевский стражник. Она меня не накажет за то, что я сварила себе супчик! Мышь не сошлёт меня в подземелье за то, что я не выбросила свою ложку-поварёшку. Подумать только! Я, Повариха, рада видеть мышь!

Толстуха раскраснелась от хохота. Огромный живот её ходил ходуном.

– Ха-ха-ха!!! – не унималась она. – Ко мне пожаловала не какая-нибудь мышь! Особенная! С иглой на поясе! И без хвоста! Вот так мышка! Ха-ха-ха!!!

Она хохотала, закинув голову и оттирая выступившие на глазах слёзы.

– Ты кто: мальчик или девочка? Да ладно, не важно. Только вдумайся, мышаня! До чего ж чудные настали времена! А раз такое дело, нам с тобой надобно заключить мир. Нет, перемирие. Я не стану спрашивать, что тебе понадобилось на моей кухне, а ты за это никому не расскажешь, что я тут готовлю по ночам.

Она вернулась к плите, поставила свечку, снова сунула в кастрюлю черпак, вынула его до краёв полным супа и, причмокивая, отпила глоток.

– Чего-то не хватает... Пока чего-то не хватает... Только чего?

Десперо так и сидел на полу, не смея шевельнуться. Его парализовало страхом. Из его левого глаза выкатилась слезинка... Ведь он был готов принять смерть от руки Поварихи.

А она над ним посмеялась. Понимаешь, читатель?

Десперо даже сам удивился, до чего обидным показался ему этот смех.

Глава сорок пятая

Вот так суп!

Повариха помешала суп и, отложив черпак, снова взялась за свечу. Она снова захотела посмотреть на Десперо.

— Чего ж ты ждёшь? — удивилась она. — Беги! Беги же! В другой раз от меня живым не уйдёшь! Это твой единственный шанс.

До Десперо снова долетел аромат супа. Он поднял нос, принюхался. Усики его задрожали.

— Да. Представь. Пахнет самым что ни на есть настоящим супом. У нас, между прочим, пропала принцесса. Тебе, конечно, невдомёк, кто это. Да и на что она тебе сдалась? Но она такая милашка, спаси Господи её душу! И вот — пропала! Ужасные времена. А когда наступают ужасные времена, лучший ответ — это суп! Ну как, пахнет ответом?

— Пахнет. — Десперо кивнул.

Повариха снова повернулась к плите, поставила свечу и взялась за черпак — пора было помешать суп.

— Тёмные, мрачные времена, — заключила она и покачала головой. — А с супом этим... я просто лукавлю... пытаюсь себя обмануть. Кому нужен суп, если его некому есть? Если некому порадоваться этому супу всем сердцем...

Она вдруг перестала мешать. И взглянула на Десперо.

– Эй, мышаня! Супчику хочешь?

Не дожидаясь ответа, она взяла блюдце, плеснула туда немного супа и поставила блюдце на пол.

– Ну, иди сюда, – позвала Повариха. – Я тебя не обижу, честное слово.

Десперо подёргал носиком. Потрясающий, вкуснейший аромат! Не спуская бдительного взгляда с Поварихи, мышонок выбрался из-за катушки и подбежал чуть ближе к блюдцу.

– Не стесняйся! Пробуй!

Мышонок залез в блюдце, встал лапками прямо в суп и, прильнув ртом к душистой поверхности, сделал первый глоток. Вот так вкуснота! Куриный бульон, с чесноком, с кресс-салатом.

Читатель, ты помнишь, что точно такой бульон подавали на последний обед королевы?

– Ну как? – Повариха с тревогой ожидала приговора.

– Очень вкусно, – ответил Десперо.

– А чеснока не многовато? – Толстые пальцы нервно перебирали край фартука.

– Нет же! – сказал Десперо. – Замечательный суп.

Наконец Повариха улыбнулась.

– Вот и славно. Супчик ещё никому не повредил. Ни человеку, ни мыши.

Склонив головку, мышонок сделал второй глоток, а толстуха стояла над ним и, улыбаясь, приговаривала:

– Так, значит, вкусный, говоришь? И всего в нём достаточно?

Десперо успевал только кивать. Шумно, большими глотками он пил бульон и, лишь выпив всё, до последней капли, выбрался из

блюдца – с намокшими лапками, каплями супа на усах и круглым, сытым животом.

– Неужто наелся уже? – всплеснула руками Повариха. – Ну, съешь ещё ложечку, а? Ну, пожалуйста!

– Не могу больше, – ответил Десперо. – И вообще я очень спешу. Я ведь иду в подземелье спасать принцессу.

– Ты? Спасать принцессу? – Толстуха опять расхохоталась. – Нет, вы только поглядите на него! Мышь спасает принцессу!

– Да, – твёрдо сказал Десперо. – Я принял вызов судьбы.

– Тогда иди. Уж кто-кто, а я тебе мешать не стану.

Повариха распахнула перед мышонком дверь, ведущую к лестнице в подземелье, и он перекатил катушку через порог.

– Удачи тебе! – сказала толстуха напоследок и, не удержавшись, снова хихикнула. – Уж ты спаси принцессу, не подкачай!

Закрыв за ним дверь, Повариха тяжело прислонилась к ней и пожала плечами.

– Ну не знаю! Если это не сигнал, что в нашем королевстве что-то прогнило, тогда и не знаю, что нас образумит. Подумать только: я, Повариха, кормлю мышонка супом! А потом ещё желаю ему удачи, потому что он, видите ли, отправился спасать принцессу! Ну и дела! Ну и времена!

Глава сорок шестая

МЫШИНАЯ КРОВУШКА?
ОТЛИЧНО!

Десперо стоял на самом верху лестницы и вглядывался в ожидавший его мрак.

– Ой, – сказал он себе. – Ой...

Он и забыл, что в подземелье так темно. А ещё он забыл эту ужасную вонь – запах крыс, смешанный с запахом страдания.

Но в сердце его пылала любовь к принцессе, в животе булькал толстухин бульон, и Десперо чувствовал себя сильным и отважным. Поэтому, не предаваясь унынию, он приступил к сложнейшей процедуре: начал спускать катушку по узким крутым ступеням.

Всё ниже, ниже, ниже спускался Десперо Тиллинг вместе с катушкой красных ниток. Но как же медленно, как нестерпимо медленно это происходило! И какая тьма, какая кромешная тьма здесь царила!

– Расскажу-ка я себе сказку, – решил Десперо. – Хоть не так мрачно будет на душе. Так... с чего же начать? Ага, начало будет такое: *Однажды жил да был...* Да, точно. *Однажды жил да был мышонок. Очень маленький, совсем крошечный. А ещё жила-была принцесса. Не мышиная, а человеческая. Звали её Горошинка. И так случилось, что судьба назначила этому мышонку испытание. Он должен был служить принцессе верой и правдой и спасти её из заточения, из ужасной мрачной темницы.*

Собственная сказка изрядно приободрила Десперо. Глаза его потихоньку привыкали к темноте, и он спускался теперь по ступеням куда быстрее и увереннее, шепча себе под нос продолжение сказки – про злобного крыса, толстую девочку-служанку, прекрасную принцессу, храброго мышонка, суп и катушку с красными нитками. На самом деле, читатель, его сказка была очень похожа на ту, что ты читаешь сейчас. И она вселяла в Десперо всё новые и новые силы.

И вот, в какой-то момент, он эти силы не рассчитал. Он толкнул катушку слишком сильно, и она, стремясь побыстрее выполнить свою благородную миссию по спасению принцессы, покатилась вниз – одна, без мышонка.

– Нет! Стой! – закричал Десперо и со всех ног устремился следом.

Но катушка скакала со ступеньки на ступеньку всё быстрее и быстрее. Десперо остался далеко позади, а катушка всё летела, не разбирая дороги. И вот, достигнув подножия лестницы, она покатилась по полу, покатилась-покатилась и – прикатилась прямиком в кривые крысиные лапы.

– Так-так, что тут нам попалось? – спросил одноухий крыс у катушки и тут же ответил себе сам: – К нам прикатилась замечательная катушечка с замечательной красной ниточкой. Для крыс это означает только одно.

Боттичелли Угрызалло поднял голову и втянул носом воздух.

– Я чую... Что я чую? Нет, быть этого не может! Но тем не менее. Пахнет супом! Странно... – Он снова принюхался. – Ещё пахнет слезами. Человеческими. Замечательно. А ещё я чую... – Он задрал голову повыше и втянул в себя побольше воздуха. – Я чую запах муки и подсолнечного масла. Сколько же тут всего намешано! Вопрос – что стоит за всеми этими запахами? Вот именно! Мышиная кровушка! Несомненно! Неоспоримо! Ха-ха! К нам идёт мышь!

Боттичелли снова посмотрел на катушку и, ухмыльнувшись, легонько подтолкнул её лапой.

– Красная нить! Да! Несомненно! Жизнь в этом подземелье и так пошла славная, а тут ещё такой подарок! К нам пожаловала мышь!

Глава сорок седьмая

ВЫБОРА НЕТ

Десперо стоял на ступенях. Его била дрожь. Катушка, судя по всему, ускакала безвозвратно – её не видно и не слышно. Эх, он ведь мог привязать конец нитки к поясу, мог... А теперь уже слишком поздно.

Он вдруг осознал всю безнадёжность своего положения. Он всего лишь мышонок, крошечный мышонок, он весит жалких пятьдесят граммов, а вокруг – тьма и кишащий крысами лабиринт. И всё его оружие – привешенная к поясу иголка. Но ему непременно надо найти принцессу! Найти и спасти.

– Я не смогу, – произнёс он в тёмное никуда. – У меня ничего не выйдет...

Он стоял, не смея и шагу ступить.

– Надо возвращаться, – сказал он себе.

Но не двинулся с места.

– Надо вернуться наверх, – повторил он.

И шагнул назад.

– Нет, не могу. Назад нельзя. У меня нет выбора. Нет выбора.

И он сделал шаг вперёд. А потом ещё один.

«Нет выбора, – выстукивало его сердце, пока он спускался по лестнице. – Нет выбора, нет выбора, нет выбора...»

А внизу, у лестницы, его поджидал Боттичелли Угрызалло. Едва Десперо одолел последнюю ступеньку, одноухий крыс окликнул его, точно повстречал старого друга:

– Наконец-то! Я уж тебя заждался!

Десперо разглядел во мраке тёмный силуэт крысы. Ну вот. То, чего он так боялся, то, что приводило его в такой ужас, подступило неотвратимо.

– Добро пожаловать! Добро пожаловать! – произнёс Боттичелли.

Десперо положил лапку на иголку.

– Ой, мы ещё и вооружены! Очаровательно! – сказал Боттичелли и поднял лапы вверх. – Сдаюсь, сдаюсь.

– Я... – начал Десперо.

– Ты, – закивал Боттичелли. Крыс снял медальон и начал раскачивать его взад-вперёд. – Продолжай. Внимательно тебя слушаю.

– Я не хочу причинить тебе зло, – проговорил Десперо. – Мне просто надо пройти. Мимо тебя. Я принял вызов судьбы.

– Неужели? Как интересно! Мышонок принял вызов судьбы. – Медальон всё раскачивался. Взад-вперёд, взад-вперёд. – И куда же она тебя вызвала?

– Я должен спасти принцессу.

– Принцессу, – повторил Боттичелли. – Принцессу-принцессочку. Что-то в последнее время о ней слишком много разговоров. Сюда, знаешь ли, вся королевская рать приходила, искали её. Само собой, не нашли. А теперь к нам пожаловал мышонок. Он принял вызов судьбы и заявился искать принцессу.

– Да, – сказал мышонок и попробовал обойти Ботичелли слева.

– А ты занятный. – Боттичелли лениво, словно нехотя, заступил ему путь. – Куда ж ты так торопишься?

– Но мне надо... – пролепетал Десперо. – Я правда тороплюсь...

– Да-да, разумеется. Ты должен спасти принцессу. Это я уяснил. Но чтобы спасти её, ты сперва должен её найти, верно?

– Верно, – подтвердил Десперо.

– А что, если я знаю, где она? – сказал Боттичелли. – Более того, я готов отвести тебя прямиком туда, где она находится.

– Правда? – дрожащим голосом переспросил Десперо. Он был в нерешительности, и лапка его, сжимавшая иглу, дрогнула. – А почему ты решил мне помочь?

– Почему, спрашиваешь? А почему нет? Хочу сделать доброе дело. Для человечества. Внести свою лепту в спасение принцессы.

– Но ты же...

– Крыса, – подсказал Боттичелли. – Именно. Я крыса. И твоя др-др-дрожь подтверждает, что твоих непомерно длинных ушей достигли слухи о том, что мы, крысы, якобы злы и кровожадны. Так вот, эти слухи изрядно преувеличены.

– Да, я слышал... – сказал Десперо.

– Если ты, – произнёс Боттичелли, раскачивая медальон, – разрешишь мне оказать тебе эту услугу, на самом деле это будет услуга не тебе, а мне. Я, конечно, помогу тебе и принцессе, но главное – моя доброта и бескорыстность помогут развеять миф о крысах, который преследует нас везде и всюду. Так как, ты позволишь тебе помочь? Ты позволишь мне помочь самому себе и моим соплеменникам?

Читатель, как ты думаешь, это была уловка?

Разумеется.

Крыс Боттичелли Угрызалло никому на самом деле не хотел помогать. Совсем наоборот. Ты же помнишь, что он любил больше всего на свете? Он любил причинять боль и страдания. И сейчас он ужасно хотел помучить этого крошечного мышонка. А как сделать это сподручнее всего?

Вот именно! Отвести его туда, куда он так стремится. Прямиком к принцессе. Пусть сбудется его заветное желание, пусть он увидит свою любовь, а уж потом умрёт. Мышонок после этого будет намного, намного вкуснее! Мышонок, щедро сдобренный надеждами и горькими слезами, белой мукой и подсолнечным маслом! Мышонок, сдобренный несчастной любовью!

– Друг мой, меня зовут Боттичелли Угрызалло. И ты можешь мне доверять. Ты должен мне доверять. А как зовут тебя?

– Десперо. Десперо Тиллинг.

– Десперо Тиллинг, оставь в покое иглу и пойдём со мной.

Десперо испытующе посмотрел на крыса.

– Пойдём, пойдём, – продолжал тот. – И сними лапу с иглы. Лучше цепляйся за мой хвост. Я отведу тебя к принцессе. Обещаю.

Читатель, припомни-ка, крысы выполняют свои обещания? И чего эти обещания стоят?

Вот именно. Ничегошеньки. Крысам доверять нельзя.

Но тогда я задам тебе другой вопрос: был ли у Десперо выбор? Было ли ему за что ухватиться, кроме хвоста Боттичелли Угрызалло?

Ты снова прав. Ухватиться ему было не за что.

Мышонок протянул лапку. И ухватился за крысиный хвост.

Глава сорок восьмая

НА КРЫСИНОМ ХВОСТЕ

Читатель, ты когда-нибудь трогал крысиный хвост? Ощущение пренеприятное: точно трогаешь длинную, холодную, покрытую чешуйками змею. Но это ещё полбеды. Гораздо хуже, когда ты всецело зависишь от этой самой крысы и она обещает тебе помочь, но в глубине души ты знаешь, что ничего доброго из этой затеи не выйдет, и, цепляясь за крысиный хвост, ты летишь навстречу собственной гибели. Но... Цепляться-то больше не за что. И это ужасно.

Десперо ухватился за хвост Боттичелли Угрызалло. И одноухий крыс поволок его за собой – всё дальше и дальше в недра подземелья.

К этому времени глаза Десперо вполне привыкли к темноте, и он отлично видел всё вокруг. Но лучше бы он ничего не видел, потому что окружающее было ужасно, так ужасно, что сердце мышонка окончательно ушло в пятки.

Что же он увидел?

Он увидел, что весь пол в подземелье устлан клочьями шерсти, обрывками красных ниток и скелетами мышей. Да-да, повсюду во тьме белели обглоданные мышиные косточки! А ещё в бесконечном лабиринте, по которому его тащил Боттичелли, попадались скелеты людей – с оскаленными, хохочущими черепами и простёртыми вперёд тонкими костями пальцев, словно они пытались указать на правду, сокрытую неизвестно где. Правду, которую на самом деле лучше не знать.

Десперо зажмурился.

Но это не помогло. Кости, клочья шерсти, обрывки красных ниток и отчаянье. Даже с закрытыми глазами он видел всё это как наяву.

– Ха-ха! Вот именно! – приговаривал Боттичелли, заворачивая за очередной, бессчётный уже, угол.

То, что открывалось взору Десперо за каждым новым углом, страшило и угнетало, но ещё страшнее было оглянуться. Сзади бежали крысы: злобные, голодные, алчущие добычи. Задрав морды кверху, они жадно принюхивались.

– Мышью пахнет! – ликующе, нараспев проговорила одна крыса им вслед.

– Верно, пахнет мышью! – подхватила другая. – И ещё чем-то...

– Супом! – выкрикнула третья.

– Да! Да! Супом! – заверещали крысы нестройным хором.

– Кровью! – гаркнула ещё одна крыса, перекрикивая остальных.

– Кровью! – дружно грянули крысы. – Кровью.

И запели:

Мышечка, мышулечка, мышунечка, мышушенька!
Свеженькая, с кровушкой, и супчиком приправлена...

– Чур моё! – шикнул на них Боттичелли. – Это моя мышь, достопочтенные дамы и господа. Прошу не посягать на мою собственность!

– Господин Угрызалло! – прошептал Десперо, глядя назад, на толпу ухмыляющихся красноглазых крыс. Он снова зажмурился и, не раскрывая глаз, закричал: – Господин Угрызалло!

– Что? – отозвался Боттичелли.

– Господин Угрызалло! – повторил Десперо. И заплакал. Он просто не мог удержаться. – Пожалуйста! Принцесса... Вы обещали...

– Слёзы! – завопили крысы. – Пахнет слезами! Мышиными слезами!

– Вы обещали! – закричал Десперо.

– Дружок! – проговорил Боттичелли Угрызалло. – Мой маленький друг Десперо Тиллинг. Я обещал отвести тебя к принцессе. И я своё обещание сдержу.

Он остановился.

– Посмотри вперёд! – велел он Десперо. – Что ты там видишь?

Мышонок открыл глаза. И опешил.

– Свет!

– Вот именно, – сказал Боттичелли. – Свет.

Глава сорок девятая

ЧЕГО ТЫ ХОЧЕШЬ, МИГГЕРИ СОУ?

Теперь, читатель, мы с тобой вынуждены сделать небольшое отступление. Надо же выяснить, что произошло с крысом Роскуро, девочкой-служанкой и девочкой-принцессой в подземелье до того, как туда попал Десперо.

А случилось с ними вот что. Роскуро привёл Мигг и Горошинку в самые недра подземелья и там, в потайной келье, велел служанке заковать принцессу в кандалы.

– Ух ты! – удивилась Мигг. – Как же она будет учиться? В цепях-то несподручно.

– Не стоит со мной спорить, – оборвал её Роскуро.

– Может, мы с ней прежде одёжками обменяемся? – предложила Мигг. – Ну, чтоб она сразу привыкала быть мной, а я – что я принцессочка.

– Разумеется, – кивнул Роскуро. – Прекрасная идея, мисс Миггери. Принцесса, снимите-ка свою корону и отдайте служанке.

Горошинка со вздохом отдала Миггери корону. Мигг тут же её напялила, но корона оказалась слишком велика для её небольшой головки и соскользнула ниже – на её многострадальные уши.

– Ух ты! – ойкнула Мигг. – Большая-то какая! И ушам больно.

– Ничего, привыкнешь. – Роскуро резко перешёл на «ты».

– Как? Как я выгляжу? – Миггери уже смирилась с болью и заулыбалась.

– Как ты выглядишь? – переспросил Роскуро. – Нелепо. По-дурацки.

Мигг захлопала глазами. На них мгновенно выступили слёзы.

– Значит, я не похожа на принцессочку?

– Значит, что тебе никогда, во веки веков не бывать принцессой, даже если ты нахлобучишь на свою жалкую башку самую большую корону в мире. Ты просто дурочка, дурочкой и останешься. А теперь, чтоб от тебя была хоть какая-то польза, пошевеливайся. Закуй принцессу в кандалы. Бал-маскарад окончен.

Горестно всхлипывая, Мигг принялась разбирать лежавшую на полу груду цепей.

– Принцесса! – провозгласил Роскуро. – Боюсь, для вас тоже настал момент истины. Сейчас вы узнаете, какое будущее вас ожидает. Когда я достиг света, именно вы сослали меня обратно в подземелье. И теперь я приговариваю вас к пожизненному заточению. Вы останетесь во мраке навсегда.

Мигг подняла голову.

– Разве она не вернётся наверх? Не будет моей горничной?

– Нет, – отрезал Роскуро.

– А я-то как? Буду принцессочкой?

– Нет.

– Но я хочу быть принцессочкой!

– Да какая разница, чего ты хочешь? Кого это волнует?

Читатель, ты ведь знаешь, что за свою короткую жизнь Мигг слышала это уже много раз. Но здесь, в подземелье, она наконец

осознала, что ни она сама, ни её желания и вправду никого не волнуют. Да, этот крыс прав! До её желаний никому нет дела. И никогда не было. И, что хуже всего, в будущем её ждёт то же самое...

– Но я хочу!.. – закричала Мигг и зарыдала.

– Тише, – мягко сказала принцесса. – Не надо плакать.

– Заткнитесь! – скомандовал Роскуро им обеим.

– Я хочу... – всхлипывала Мигг. – Я хочу... Я хочу...

– Чего ты хочешь, Мигг? – ласково спросила принцесса.

– Чё? – Мигг, по обыкновению, не расслышала.

– Чего ты хочешь, Миггери Соу? – громко повторила принцесса.

– Не смейте её ни о чём спрашивать! – забеспокоился Роскуро. – Замолчите!

Но было слишком поздно. Вопрос уже прозвучал. И Мигг его услышала – впервые в жизни! Вселенная замерла, и всё сущее в ней притихло в ожидании. Мир жаждал узнать, чего хочет Миггери Соу.

– Я хочу... – пролепетала Мигг.

– Чего же? – снова спросила Горошинка.

– Я хочу к маме! – выкрикнула Мигг замершему в ожидании миру. – Я хочу к мамочке моей!

– Я так тебя понимаю... – Принцесса протянула девочке руку.

Та доверчиво сунула ей свою ладошку.

– Я тоже хочу к маме, – тихонько сказала Горошинка и сжала руку Миггери Соу.

– Прекратите! – заверещал Роскуро. – Немедленно надень на неё кандалы! Закуй её в цепи!

– Ух ты, разбежался! – возмутилась Мигг. – Ни за что её не трону. И ты меня не заставишь! У меня ведь ножик есть, помнишь?

Она занесла нож над головой.

– Дурёха! Если твоя пустая башка хоть чуточку соображает, – произнёс Роскуро, – хотя я в этом глубоко сомневаюсь, ты меня не то что ножом – пальцем не тронешь. Как вы выберетесь из этого подземелья без моей помощи? Помрёте тут обе с голоду. Или ещё того хуже...

– Ух ты! И правда! – сказала Мигг. – Тогда давай веди нас наверх, а не то искромсаю тебя сейчас на мелкие кусочки.

– И не подумаю, – заявил крыс. – Принцесса останется здесь, во тьме. А ты, Мигг, делай как знаешь. Можешь остаться с ней.

– Но я хочу наверх, – сказала девочка.

– Мигг, его бесполезно уговаривать, – заметила принцесса. – Разве что он вдруг сам передумает.

– Не передумаю, – отрезал Роскуро. – Ни за что.

– Ух ты... Чё делать-то? – выдохнула Мигг и опустила занесённый нож.

Так они и остались сидеть в подземелье – крыс, принцесса и девочка-служанка. А наверху тем временем взошло солнце, прокатилось колесом по небу, скрылось за горизонтом, и снова наступила ночь. Они сидели и сидели, одна свечка догорела, и пришлось зажечь другую. А они всё сидели глубоко-глубоко под землёй.

Читатель, честно говоря, они сидели бы там до сих пор, не появись наконец Десперо.

ПРИНЦЕССА ПОМНИТ ЕГО ИМЯ

— **П**ринцесса! – воскликнул Десперо. – Принцесса Горошинка! Я пришёл вас спасти!

Услышав своё имя, принцесса подняла голову.

– Десперо, – прошептала она. А потом громко закричала: – Десперо!

Читатель, поверь, когда твоё имя произносит тот, кого ты любишь, – это самое большое счастье на свете.

Самое большое.

В этот миг Десперо понял, что всё было не зря: он не зря потерял хвост, не зря был сослан в это подземелье, не зря отсюда выбрался и не зря вернулся сюда снова – уже по своей воле.

Он бросился к принцессе.

Но путь ему, скаля зубы, заступил Роскуро.

– Нет! Не трогай его! – воскликнула принцесса. – Он мой друг!

– Не бойтесь, принцессочка! – вскинулась Мигг. – Я не дам мышанечку в обиду.

Она снова схватилась за нож. И отсекла бы Роскуро голову, но немного промахнулась.

– Тьфу ты! – охнула Миггери Соу.

ЧЕМ ЭТО ПАХНЕТ?

— Уааааааууу! — взвыл Роскуро и оглянулся посмотреть на то место, где только что был его хвост.

В этот миг Десперо, выхватив иглу из-за пояса, наставил её остриё туда, где у крыс положено быть сердцу.

— Не шевелись! — сказал он. — Убью!

— Ха-ха-ха! — расхохотался Боттичелли Угрызалло, до сих пор державшийся в тени. — Браво-браво! Мышонок вознамерился убить крысу. — Он громко стеганул хвостом по полу в знак одобрения. — Какой захватывающий сюжет! Даже занятнее, чем я предполагал. Как же я люблю, когда к нам в подземелье попадают мыши!

— Пропустите! Дайте взглянуть! — зашумели крысы.

Задние толкались и напирали на передних.

— Да уймитесь вы! — шикнул на них Боттичелли. — Не мешайте рыцарю сделать своё дело.

Десперо стоял, наставив дрожащий кончик иглы на сердце Роскуро. Он понимал: его рыцарский долг — защитить принцессу. Но поможет ли тут убийство? Отступит ли тьма, если он убьёт Роскуро?

Задумавшись, Десперо наклонил голову. Слегка, самую чуточку. И его длинные усики ненароком коснулись крысиного носа.

Роскуро принюхался.

– Чем это пахнет? – спросил он.

– Мышиной кровушкой! – облизнулась крыса, стоявшая ближе всех.

– Кровью и косточками! – радостно гаркнула другая крыса.

– Ты чуешь слёзы, – подсказал Боттичелли. – Слёзы и несчастную любовь.

– Это я без вас понимаю, – огрызнулся Роскуро. – Но пахнет ещё чем-то...

Он снова принюхался.

Запах супа захлестнул его, точно гигантская волна, и на гребне этой волны ему вспомнилось всё: солнечный свет, хрустальная люстра, музыка, смех, всё-всё, что никогда ни при каких обстоятельствах не станет частью его жизни. Потому что он – крыса.

– Суп! – простонал Роскуро.

И заплакал.

– Фи! – поморщился Боттичелли.

– Фу! Фу! Фу! – зафыркали и зашикали остальные крысы.

– Убей меня! – взмолился Роскуро и упал на колени перед Десперо. – У меня всё равно ничего не получится. Мне просто хотелось света... потому я и привёл сюда принцессу... Я хотел красоты и света... хоть немножко... для себя...

– Давай же, убей его! – подзуживал Боттичелли. – Это не крыса, а недоразумение! Он плачет. Он позорит наш род!

– Не надо, Десперо, – сказала принцесса. – Не убивай его. Пожалуйста.

Десперо опустил иголку. И повернулся к принцессе.

– Что же ты? – возмутился Боттичелли. – Убей его! Убей скорее! Все вы тут жалкие слюнтяи! Аж тошно от вас становится. Совсем аппетит испортили.

– Ух ты! – воскликнула Мигг. – Да я сама его сейчас убью!

– Нет! Погоди! – воскликнула принцесса. – Роскуро, – обратилась она к плачущему крысу.

– Что? – отозвался он.

Из глаз его градом катились слёзы. Они стекали по его усам и часто-часто капали на пол.

Глубоко вздохнув, принцесса сжала руки у груди.

Знаешь, читатель, я думаю, что Горошинку в этот момент обуревали такие же сложные ощущения, как Десперо, когда у него просил прощения родной папа. Она вдруг поняла, как хрупко её собственное сердце и сколько в нём чёрных, недобрых чувств, которые, не переставая, борются с чувствами светлыми и добрыми. Ей очень не нравился этот крыс. И конечно же она никогда не сможет его полюбить. И всё же... Горошинка знала, как надо поступить, чтобы спасти своё сердце.

Поэтому она сказала своему врагу такие слова:

– Роскуро, ты хочешь супа?

Крыс всхлипнул и принюхался.

– Не мучайте меня, – пробормотал он.

– Обещаю тебе! – объявила принцесса. – Если ты выведешь нас отсюда, я велю Поварихе приготовить для тебя суп. И ты сможешь есть его в банкетном зале.

– Эй! А мы? Мы тоже хотим есть! Отдайте нам мышонка! Пора закусить! – загалдели крысы.

– Да кому он теперь нужен? – негодующе сказал Боттичелли. – У него ж весь вкус испорчен. Он приправлен добротой и всепрощением! Это несъедобно! Я к нему и не притронусь.

– Суп? В банкетном зале? – переспросил Роскуро у принцессы.

– Да, – ответила Горошинка.

– Честно?

– Честно. Честное слово.

– Ух ты! – воскликнула Мигг. – Суп же теперь вне закона!

– Но суп – это очень вкусно, – сказал Десперо.

– Конечно, – согласилась Горошинка. – Нет ничего вкуснее супа.

Она присела на корточки перед Десперо.

– Ты – мой рыцарь! – сказала она ему. – Рыцарь с сияющей иглой. Я так рада, что ты меня нашёл. Пойдём наверх и поедим супа.

И знаешь, читатель, они так и сделали.

Стали жить-поживать...

Читатель, ты, конечно, хочешь узнать, все ли стали жить-поживать и добра наживать. Верно?

Ответ: и да и нет.

Ну, например, Роскуро. Прожил ли он счастливую жизнь?.. Как бы это поточнее объяснить? Принцесса Горошинка дала ему свободный доступ во все покои королевского замка. Он мог беспрепятственно подниматься из подземелья на свет и так же беспрепятственно возвращаться во мрак. Но, увы, он так и не нашёл счастья – ни там, ни здесь. Боюсь, такая печальная судьба ждёт любого, чьё сердце сначала разбилось, а потом срослось, но только криво... Впрочем, крыс Роскуро раскаялся, а это уже многого стоит. Он сумел дать немного света и счастья – пусть не себе, но кому-то другому.

Каким образом?

Читатель, Роскуро рассказал принцессе об узнике, у которого когда-то была красная скатерть. И принцесса распорядилась его освободить. Роскуро вывел его из подземелья, наверх – к его дочке Миггери Соу. Как ты понимаешь, сама Мигг принцессой так и не стала, но её папа до конца своих дней обращался с ней как с принцессой. Он очень хотел загладить свою вину за то, что когда-то продал дочку за скатерть, курицу-несушку и пригоршню сигарет.

А как же Десперо? Он-то стал жить-поживать и добра наживать? Ну, если эти слова непременно означают свадьбу, то – нет. Десперо не женился на принцессе Горошинке. Мышонок не может жениться на прекрасной девушке. Так не бывает даже в причудливом мире этой сказки.

Но зато, читатель, они могут быть добрыми друзьями.

И они действительно очень подружились. И прошли вместе через множество приключений. Но это уже совсем другая, новая история. А наша сказка, читатель, подошла к концу.

Но прежде чем ты закроешь книгу, представь такую картину.

Банкетный зал. В самом центре стоит стол. Вокруг стола сидят любящий король-папа, сияющая как звезда принцесса, служанка в короне и крыса с ложкой на голове. Посреди стола стоит огромная кастрюля с супом. Ну а на самом почётном месте, возле принцессы, восседает мышонок, крошечный мышонок с огромными ушами.

Да, забыла – из-за пыльной бархатной портьеры ошеломлённо таращатся ещё четыре мышки.

– Mon Dieu! Вы только поглядите! – восклицает Антуанетта. – Он жив! Он жив! И, кажется, очень счастлив.

– Он простил меня, – шепчет Лестер.

– Ну и фрукт! – говорит Ферло. – Глазам не верю!

– Всё так и должно быть! – приговаривает Ховис, Ниточных дел мастер, и довольно улыбается. – Всё правильно.

Да, читатель. Всё правильно.

Ты согласен?

ПОСЛЕСЛОВИЕ

Помнишь, как, попав первый раз в подземелье, Десперо сидел на ладони у тюремщика Грегори и нашёптывал ему на ухо сказку?

Представь, что я тоже мышонок и я нашёптываю тебе на ухо эту сказку. Я делаю это искренне, от всего сердца, потому что хочу спастись, выбраться из мрака и вывести оттуда тебя.

«Сказки – это свет», – говорил тюремщик Грегори мышонку Десперо.

Читатель, я очень надеюсь, что эта сказка добавила в твою жизнь немного света.

Оглавление

Литературно-художественное издание

Для младшего школьного возраста

Кейт ДИКАМИЛЛО

Приключения мышонка Десперо,
а точнее – Сказка о мышонке, принцессе, тарелке супа и катушке с нитками

Ответственный редактор *А. Ю. Бирюкова*
Художественный редактор *Е. А. Антоненков*
Технический редактор *Т. Ю. Андреева*
Корректоры *Т. И. Филиппова, Н. М. Соколова*
Вёрстка *О. В. Краюшкина*

Подписано в печать 08.07.2010.
Формат 84×100 $^1/_{16}$. Бумага офсетная.
Гарнитура «NewBascervill». Печать офсетная. Усл. печ. л. 20,28.
Доп. тираж 7000 экз. D-DL-1423-03-R. Заказ 1776.

ООО «Издательская Группа Аттикус» —
обладатель товарного знака Machaon
119991, Москва, 5-й Донской проезд, д. 15, стр. 4
Тел. (495) 933-7600, факс (495) 933-7620
E-mail: sales@atticus-group.ru
Наш адрес в Интернете: www.atticus-group.ru

ОПТОВАЯ И МЕЛКООПТОВАЯ ТОРГОВЛЯ

В Москве:
Книжная ярмарка в СК «Олимпийский»
129090, Москва, Олимпийский проспект, д. 16,
станция метро «Проспект Мира»
Тел. (495) 937-7858

В Санкт-Петербурге «Аттикус-СПб»:
198096, Санкт-Петербург, Кронштадтская ул., д. 11, 4-й этаж, офис 19
Тел./факс (812) 325-0314, (812) 325-0315

В Киеве «Махаон-Украина»:
04073, Киев, Московский проспект, д. 6, 2-й этаж
Тел. (044) 490-9901
E-mail: sale@machaon.kiev.ua

Отпечатано в соответствии с предоставленными материалами
в ЗАО «ИПК Парето-Принт», г. Тверь
www.pareto-print.ru